砂の本

ホルヘ・ルイス・ボルヘス
篠田一士 訳

集英社文庫

目次

砂の本

汚辱の世界史

砂の本

他者

事件は、一九六九年二月、ボストン北郊のケンブリッジで起きた。わたしは、それをすぐには書かなかった。というのも、理性を失わぬために、最初は忘れてしまおうと意図したからである。一九七二年の現在なら、これを書いたところで、他人は物語として読むだろうし、時とともに、わたしにとっても、そうなるだろうと考えている。

事件が起こっている間は、恐ろしいばかりに感じられ、それに続く眠れぬ夜々には、なお一層恐ろしかったことはたしかだ。だからといって、この話が第三者の心を動かすとはかぎらない。

朝の十時頃《ごろ》だったろうか。わたしは、チャールズ川に面した、とあるベンチにすわっていた。右手五百メートルほどのところには、名は知らないが、高い建物が立っていた。ねずみ色の水は、多くの氷片を浮かべていた。その流れが、わたしに時間を考えさせたのは、当然の成りゆきだった。ヘラクレイトスの千年紀のイメージ。昨夜はよく眠れた。きのうの午後の講義が、学生たちの興味をかきたてるのに成功したと、わたしには思われたからだ。視界には、ひとりの人影もなかった。

突然、（心理学者の説では疲労のせいだというが）この瞬間はすでに経験したことがある、という印象をもった。わたしのベンチの向こうの端に、だれかがすわっていた。わたしはひとりでいたかったのだが、あまり非礼に見えるのをはばかって、すぐに立とうとはしなかった。向こうの男は口笛を吹きはじめていた。そのときだった、この朝引きつづいた多くの不安の中の、最初の一撃が襲ったのは。彼が吹いていたのは、いや、吹こうとしていたのは（わたしは昔からあまり耳がよくない）、エリアス・レグーレスの民謡調の歌「ラ・タペラ（廃屋）」だった。その節《ふし》は、消え失せていたある中庭《パティオ》と、久しい以前に死んでしまった従兄《いとこ》のアルバロ・メリアン・ラフィヌールの思い出へと、わたしを引き戻した。それから歌詞がはじまった。最初の一行。その声はアルバロの声ではなかったが、アルバロに似せようとしていた。それに気付くと、わたしはぞっとした。

わたしは、彼に近寄ってたずねた。

「失礼、あなたはウルグワイか、アルゼンチンのかたですか？」

「アルゼンチンです。しかし一九一四年以来ジュネーブに住んでいます」という答えが返ってきた。

　長い沈黙。わたしは、またたずねた。

「ロシア正教会の向かいの、マラニュー街十七番地に？」

　彼は、そうだと答えた。

「それなら、あなたの名はホルヘ・ルイス・ボルヘスです。わたしもホルヘ・ルイス・ボルヘスですが。一九六九年に、われわれはケンブリッジ市にいるのです」と、きっぱり、わたしは言い切った。

「いや」と、彼はいささか間遠ではあるが、まぎれもないわたし自身の声で言う。ちょっと間をおいてから、彼は、しつこい口調で言いだした。

「ぼくはここジュネーブにいるんです。ローヌ川から数歩はなれたベンチに。ぼくたちが似ているのはどうも妙ですが、あなたはずっと年をとっておられます。髪が白いじゃありませんか」

　わたしは答えた。

「わたしが嘘《うそ》をついているんじゃないことは証明できますよ。知らない人間には、分るはずもないことを言ってあげましょう。家には、脚に蛇の巻きついた銀のマテ茶碗《ちゃわん》がある。曾祖父《そうそふ》がペルーから持ち帰ったものだ。また、鞍《くら》にぶら下げた銀の金盥《かなだらい》もある。君の部屋の戸棚には二列の本がならんでいる。鋼版《こうはん》画の挿絵と、各章の間に、こまかい活字の注のついた、レイン訳の『千夜一夜物語』が三巻。キシュラのラテン語辞典。ラテン語の原文とゴードンの英語が対訳になっているタキトゥスの『ゲルマニア』。ガルニエ版の『ドン・キホーテ』。著者献辞のついたリベラ・インダルテ(独裁者ファアン・マヌエル・デ・ロサスの迫害を逃れてウルグワイに亡命したアルゼンチン作家。一八一四—四五)の『タブラス・デ・サングレ』。カーライルの『衣装哲学』。アミエルの伝記。それから、他《ほか》の本の後ろに、バルカン諸国の性習慣のことを書いたペーパーバックの本がかくしてある。それに、デュブール広場の、ある二階で過した夕暮れのことも忘れられないな」

「デュフールですよ」と彼は訂正した。

「そうだ、デュフール。さて、これで納得しましたか?」

「いいえ」と、相手は言いかえす。「そんな証拠は何も証明しやしませんよ。ぼくがあなたのことを夢に見ているのだとすれば、ぼくの知っていることを、あなたが知っていたって当りまえでしょう。あなたの長ったらしいカタログも、まったく、なんの役にも立ちゃしない」

彼の反対はもっともだった。わたしは答えた。

「もしこの朝とこのめぐり合いが夢であるならば、わたしたち二人は、めいめいが、自分こそ夢見る人だと信じねばならない。もしかしたら、わたしたちは夢見るのをやめられるかもしれないし、やめないかもしれない。それはそれとして、ともかく、わたしどもが守るべき明らかな義務は、その夢を受け入れることです。わたしたちが宇宙を受け入れてきたように、われわれが生れ、目で見、呼吸することを受け入れているように」

「じゃあ、もし夢がつづくとすれば？」彼は不安気にたずねた。

彼の不安、そして、わたしの不安をしずめるために、しかと感じてもいない確信を装って、わたしは言った。

「わたしの夢はもう七十年もつづいているんだよ。結局のところ、思えば、自分自身に出会わない人間はひとりとしていないのだ。それが、いま、われわれに起こっている——われわれが二人いるということを除いてはね。ところで、わたしの過去を、なにがしか知りたいとは思わないかね。君の未来になるわけだが」

彼は、無言のまま、うなずいた。わたしはいささか上の空になって、言いつづけた。

「母はすこぶる健康で、ブエノスアイレスのチャルカスとマイプー通りの交叉点《こうさてん》の家にいる。父の方は三十年ばかり前に死んだ。心臓病で死んだんだ。終り頃は、半身不随でね。右手のうえにのせた左手は、まるで巨人の手にのせた子供の手のようだった。早く死にたがっていたが、愚痴は一言もこぼさなかった。われわれのお祖母《ばあ》さんも同じ家で死んだんだ。死ぬ数日前に、一同を呼び集めてこう言ったものだ。『わたしは、もう年も年だから、ゆっくり、ゆっくり死ぬんだよ。だから、ごく当りまえのありふれたことで、騒ぐ必要はないんだよ』とね。君の妹のノラは、結婚して、二人の子供がいる。ところで、家ではみんなどうしてる？」

「元気ですよ。父は、相変らず反宗教的な冗談ばかりとばします。昨夜も、イエスは、自分で手を汚さないガウチョのようなもんだ、だから、たとえ話で説教ばかりするんだ、なんて言ってました」

　彼は、ちょっとためらってから、たずねた。

「で、あなたは？」

「君が、これから何冊本を書くかは知らないが、多過ぎるということだけは言えるね。自分だけの楽しみになる詩と、幻想的な短篇《たんぺん》を書くことになるだろう。君の父親や多くの親族たちのように、教師をすることにもなろう」

　わたしは、彼が書くはずの本の成功、失敗について、彼がなにひとつたずねようとしないことを喜んだ。口調を変えてわたしはつづけた。

「歴史に関して言えば……もう一度戦争がある、まえと、大体同じ国々が敵味方にわかれるはずだ。フランスは、まもなく降伏する。イギリスとアメリカが、ヒトラーというドイツの独裁者に対して解放戦争を行なう。ワーテルローの戦いのくり返しさ。ブエノスアイレスは、一九四六年頃、もうひとりのロサス（フワン・ペロンのこと）、つまり、われらが先祖（フワン・マヌエル・デ・ロサス〈一七九三―一八七七〉はボルヘスの母方の一族である）によく似た独裁者を生んだ。一九五五年に、コルドバ州がわれわれを救ってくれた。ちょうど、以前のエントレ・リーオス州のようにね。現在、情勢は悪い方へ向かっている。ロシアがこの地球をのっとろうとしている。アメリカは、デモクラシーという迷信にしばられて、帝国となる決心がつかない。日に日に、わが祖国は偏狭な地方性をましつつある。ますます偏狭で、ますますひとりよがりになって、まるで目をしっかりつぶっているようなものだ。ラテン語の授業にグワラニ語（南米中部の種族の言葉）がとってかわるとしても、わたしとしては一向驚かないね」

彼が、ほとんど、上の空で、わたしの言葉を聞いていることにわたしは気づいていた。あり得ないことでありながら、否定しがたいことに対する、根源的な恐怖が、彼をうろたえさせていたのだ。わたしはといえば、かつて子の父であったためしはないのだが、この哀れな青年に対して、血肉の息子以上の愛《いと》しさが、大波のようにこみ上げるのを感じた。彼が両手に一冊の本を握りしめているのを見て、それはなんだとたずねた。

「フョードル・ドストエフスキーの『憑《つ》かれた人びと』、というか、ぼくの感じでは『悪霊』です」と、彼はいささか得意気に答えた。

「よく覚えていないな。どんなものだい？」

そう言うがはやいか、この質問は冒瀆《ぼうとく》だったと感じた。

「ロシアの巨匠です」と彼は断言した。「スラヴ人の魂の迷路を、誰《だれ》よりも深く探索したんですよ」

こんな修辞を弄《ろう》しようとする試みは、ほかならぬ、彼が平静をとり戻した証拠だとわたしは見た。

その巨匠の作品は、他にどんなものに目を通したかとたずねた。

彼があげた二、三冊のなかには『分身』もあった。

それらを読んでいるとき、ジョゼフ・コンラッドの場合のように、人物を明確につかめるかどうか、さらにその全作品をくわしく読みつづける気になるものかどうか、ときいた。

「とんでもない」と、彼は驚いたように答えた。

いまなにを書いているのかときくと、詩集を編む準備をしており、その本は、『赤い讃歌《さんか》』という題になるだろうと言った。『赤いリズム』にしようかとも考えていると言う。

「いいじゃないか」と、わたしは言った。「結構な先例も引き合いに出せることだし。ルベン・ダリーオの青の詩とか、ヴェルレーヌの灰色の唄《うた》とか」

それには耳をかさず、彼は、自分の詩集は全人類の兄弟愛の頌歌《しょうか》なのだと説明した。現代の詩人は、時代に背を向けることはできないのだと。

わたしはしばらく考えてから、本当にあらゆる人間に同胞愛を感じているのかとたずねた。たとえば、あらゆる葬儀屋、あらゆる郵便配達夫、あらゆる潜水夫、偶数番街に住んでいるあらゆる人間、さらに、あらゆる失声症の人たちに感じることができるのか。

彼は、自分の本は、抑圧され、疎外されている大衆のことを問題にしているのだと言った。

「君のいう、抑圧され疎外されている大衆なんて、たんなる観念にすぎないんだよ」と、わたしは答えた。「いやしくも存在するものがあるとすれば、個人のみが存在するのだ。『昨日の人は今日の人ならず』という、ギリシア人の言葉もあるじゃないか。この、ジュネーブだか、ケンブリッジだかのベンチにすわっているわれわれ二人が、おそらくその証拠なんだ」

歴史の厳正なページを除けば、記憶すべき事態は、記憶すべき語句を必要としない。死の瞬間、人間は子供のときにかいま見た版画を思いだそうとするし、まさに戦闘に入ろうとする兵士は、泥とか、軍曹のことをしゃべろうとする。われわれが置かれていた状態は唯一のもので、実のところ、心がまえができていなかった。宿命のまにまに、わたしたちは文学の話をした。どうもジャーナリスト相手にしゃべりつけているようなことばかりを話したのではないかと、わたしは気がかりだ。わたしの**分身**は、新奇な比喩《ひゆ》の発明や発見を信じていた。わたしはといえば、身近で、自明な相似に対応する比喩、そして、われわれの想像力がすでに受け入れているような比喩を、信じていた。人間の老境と落日、夢と人生、時の流れと水。わたしはこうした意見を述べた。後年ある本のなかで、彼が述べるであろう意見を。

彼はほとんど聴いていなかった。突然、こう言った。

「もし、あなたがぼくだというのなら、一九一八年に、彼も、同じくボルヘスだと称する老紳士に会ったことを、あなたが忘れてしまっているのを、どう説明なさるんですか」

この難問は思いもよらないものだった。これという確信もなく、わたしは答えた。

「おそらく、あまり奇妙な事件だったので、忘れようとしたせいだろうね」

彼は、おずおずと質問した。

「あなたの記憶はどんな風ですか？」

わたしには、二十にも満たない若者にとって、七十を超した人間は、もう死者も同然なのだということが分った。わたしは答えた。

「ふだんは忘却に似ているね、だが、それでも、求めるものを見つけることはできる。わたしは古代英語を勉強しているが、クラスの一番ビリじゃあないよ」

わたしたちの会話は、もう夢というには、あまりにも長くつづいていた。

突然、ある考えがわたしにひらめいた。

「君がわたしを夢みているのじゃないという証拠を、すぐ見せてあげることができるよ」とわたしは言った。「この詩句をよくききたまえ。わたしの知るかぎり、君は、まだ全然、読んだことがないはずだ」

ゆっくりとわたしは有名な詩行（ユゴー『静観詩集』Ⅵ・二十六より）を口ずさんだ。

L'hydre-univers tordant son corps écaillé d'astres.

（星辰《せいしん》の鱗《うろこ》まといし身をよじる天の海蛇）

わたしには、彼のほとんど恐れにも似た驚きが感じられた。彼は、低い声で、燦然《さんぜん》たる語のひとつひとつを、味わうようにくり返した。

「本当だ」。彼は口ごもった。「ぼくにはこんな詩は一行だって書くことはできない」

ヴィクトル・ユゴーがわれわれを一体にした。

いま思いだしたが、彼はそのまえに、ウォルト・ホイットマンの短い詩を熱烈にくりかえしていた。詩人が、心から幸福であった海辺の一夜を、よび起こしている詩だ。

「ホイットマンがその夜をうたっているとすれば、それは彼が望んだだけで果たさなかったからだ」とわたしは言った。「詩というものは、現実の記録ではなくて、憧《あこが》れの表白と見定めてこそ、はじめて、その真価があらわになるのだ」

彼はしばらく呆然《ぼうぜん》として、わたしを見ていた。

「あなたは彼を知らないんだ」と彼は叫んだ。「ホイットマンは嘘なんかつけないひとですよ」

無駄に、半世紀が過ぎるわけではない。さまざまな人物や、あれこれの読書や趣味について交した会話から、われわれは、もはや、たがいに理解することは不可能だと分ったのである。二人はあまりにも似ていながら、あまりにもちがっていた。二人は、たがいに相手を欺くことができず、そのことが対話を困難にしていた。わたしたちは、それぞれ相手のカリカチュアとなっているというわけである。こうした状態はあまりにも異常であったから、それ以上、長続きはできなかった。助言も議論も無用だった。なぜなら、いずれは、わたしという者になることが、彼の避けがたい宿命だったのだから。

突然、わたしは、コールリッジが夢みた幻想のひとつを思いだした。あるひとが、エデンの園を横切ったという証拠に、一輪の花を与えられる夢を見る。目ざめてみると、その花があったというのである。

わたしは、似たような手を思いついた。

「ねえ君、金を持っているかい?」

「ええ」と彼は答える。「二十フランばかり。今晩、シモン・ジシュランスキーを鰐軒《わに》で御馳走《ごちそう》することになっているので」

「シモンに、今にカルージュで医者を開業し、とても成功するようになるだろうと、言ってやりなさい……ところで、君の硬貨を一枚わたしにくれたまえ」

彼は三枚の銀貨といくつかの小銭をつかみだし、意味も分らぬまま、一枚の銀貨をさしだした。

わたしの方は、額面はちがっても、みな同じサイズで、あまり有難味のない、例の合衆国の札の一枚を渡した。彼はむさぼるようにそれをあらためた。

「こんなはずはない」と彼はわめいた。「一九六四年という年号がついている」

(数カ月後、あるひとが教えてくれたところによると、銀行券には年号がはいっていないという)

「これは、もう、まったくの奇跡だ」。彼は、とうとうわめきだした。「なににもよらず、奇跡は恐ろしい。ラザロの復活を見た証人たちは、ふるえ上ったにちがいない」

わたしたちは、やはり、ちっとも変ってはいなかったのだな、とわたしは思った。いつでもブキッシュな言いまわしになる。

彼は札を引き裂いて、自分の硬貨をしまいこんだ。

わたしの方の硬貨は、川に投げ捨てることにした。銀の貨幣が弧を描いて、銀色の川波に消え去れば、わたしの物語に生彩あるイメージを添えることになったろう、ところが運命はそううまい工合《ぐあい》にゆかなかった。

超自然なことも、もし二度起これば、もはや恐ろしくはなくなる、とわたしは答えた。そこで、この、同時に二つの時間と二つの場所とに存在する同じベンチで、翌日、また、会おうと提案した。

彼は即座に賛成し、時計も見ずに、もう遅くなってしまったと言った。われわれは嘘をついており、たがいに相手の嘘に気がついていた。わたしは、だれか、わたしを迎えにくるはずだと言った。

「迎えがくるんですって?」と、彼はたずねた。

「そうだよ。君もわたしの年になれば、ほとんど目が見えなくなっているはずだ。黄色と光と影だけは、なんとか見分けられるがね。案ずることはないよ。徐々に盲目になるのは悲劇じゃあない。夏の、ゆっくりした黄昏《たそがれ》のようなものだ」

二人は、たがいに相手の身体《からだ》に触れることもなく、別れを告げた。翌日、わたしは行かなかった。向こうもまた来なかったろう。

わたしは、この出会いについて、あれこれと考えたが、だれにも話したことはない。いま、その鍵《かぎ》を見出したと信じている。あの出会いは本当だった。しかし、相手は夢のなかでわたしと会話したのであって、それ故にこそ、わたしを忘れることができたのだ。一方、わたしの方は、目ざめた状態で彼と会話したので、現在にいたるまで、その記憶に悩まされているのだ。

向こうはわたしを夢みたが、厳密な意味では、わたしを夢みたわけではない。いま、わたしには分るのだが、彼が夢みたのは、あろうはずもない一ドル札の年号だったのである。

ウルリーケ

彼は名剣「グラム」を取り、ふたりの間に抜身をおいた。
『ヴォルスンガ・サガ』第二十九

わたしの物語は、現実に忠実、あるいは、結局のところ同じことになるのだが、現実についての個人的な記憶に忠実となるはずだ。その出来事が起こったのは、ごく最近のことだが、しかし、文学的慣習が、くわしい情況描写を加え、クライマックスを強調する慣習でもあることは承知している。そこで、ヨーク市での、ウルリーケ（彼女の姓は知らないし、おそらく永久に知ることもないだろう）との出会いを語ることにしたい。その記録は、ある晩、そして、その翌朝にわたるものである。

彼女をはじめて見たのは、ヨークの大聖堂の「五姉妹」、あの、クロムウェル麾下《きか》の偶像破壊者たちさえも崇《あが》めずにはいられなかった、世にも純乎《じゅんこ》たるステンドグラスの像のそばだった、と言っても、一向にさしつかえはないはずだ。だが、実のところは、城壁の外側にある「北の宿」の、小さなロビーで会ったのである。わたしたちは小人数で、彼女はこちらに背を向けていた。だれかが酒をすすめると、彼女はそれを断わった。「わたしは女権論者《フェミニスト》です」と彼女は言った。「男性のまねはしたくありません。男の煙草《タバコ》も男のアルコールも嫌いです」

それは、気のきいた科白《せりふ》のつもりで、しかも、使われたのもこれがはじめてではないことが見て取れた。あとになって、こういう科白が彼女らしからぬものだと知ったが、わたしたちは、ときとして、自分にふさわしくないことを口にするものである。

彼女は、定刻を過ぎてから博物館に着いたのだが、ノルウェー人だと知って入れてくれたと語った。

そこに居合わせた連中のひとりが言った。

「ヨークにノルウェー人がやってきたのは、これがはじめてじゃない」

「そうだわ」と彼女は言った。「イギリスは、もともとわたしたちのもので、わたしたちはそれを失ったのよ。もし人が何かを持つことができ、また何かが失われ得るものならば、ね」

わたしが彼女の姿を見たのは、このときだった。ウィリアム・ブレイクの詩の一行(『アルビオンの娘たちの幻想』七―二四)は、柔媚《にゆうび》な銀の、あるいは、猛々《たけだけ》しい金の乙女たちを語っているが、ウルリーケには、金と柔媚さとが同居していた。ほっそりと背が高く、とがった顔立ちと灰色の目をしていた。その顔ほどではないが、わたしは彼女の謎《なぞ》めいた物静かさに打たれた。すぐほほえむ、するとその微笑が、彼女を遠ざけるようだった。北国では一般には、鮮やかな色調でくすんだ背景を生気づけようとするものだが、めずらしく彼女は黒い服を着ていた。はきはきした、正確な英語を話し、少し巻き舌で、rを響かせた。もっとも、わたしはよい観察者ではないので、こうしたことは少しずつ発見したのである。

わたしたちは引き合わされた。わたしは、ボゴタのロス・アンデス大学の教授だと告げ、コロンビア人だと説明した。

彼女は、考え深げにたずねた。

「コロンビア人てどういうことですの？」

「さあ」とわたしは答えた。「一種の信仰の表明ですかな」

「ノルウェー人だというようなものね」と彼女はうなずいた。

その夜話したことは、それ以上なにも覚えていない。翌朝早く、わたしは食堂に降りた。窓ガラスを通して、雪の積っているのが見えた。荒野が、朝の光のなかにかすんでいた。わたしたちだけしかいなかった。ウルリーケは彼女のテーブルにわたしを招いた。ひとりで散歩するのが好きだと言った。

わたしは、ショーペンハウアーの冗談を思い出しながら、答えた。

「ぼくもです。二人で一緒に出かけられますね」

わたしたちは宿をはなれ、新雪を踏んで行った。野には人っこひとりいなかった。わたしは、数マイル下流のソーゲイトまで行ってみようと提案した。自分がすでにウルリーケに恋していることに気づいていた。他のだれも、傍《かたわ》らにいてほしくはなかった。

突然、はるか彼方《かなた》に、狼《おおかみ》の遠吠《とおぼ》えが聞こえた。それまで一度として狼の声を聞いたことはなかったが、わたしには、それが狼だと分った。ウルリーケは平然たるものだった。

しばらくして、彼女は、まるで考えごとを声にだすかのように、言った。

「昨日ヨークの大聖堂で見た何本かのちっぽけな剣の方が、オスロ博物館の大きな船より、ずっと感動的だったわ」

わたしたちの道は交叉《こうさ》している。今夜、ウルリーケはロンドンへと旅を続けるはずだ。わたしは、エディンバラへ行く。

「オックスフォード・ストリートで」と彼女は言った。「ロンドンの群衆にまぎれたアンを探すド・クインシーの足跡をたどるのよ」

「ド・クインシーは」とわたしは答えた。「彼女を探すのをやめた。ぼくは生涯、探しつづける」

「多分、もう出会ったのでしょうね」。低い声で彼女が言った。

望外のことが、禁じられているわけではないと知って、わたしは彼女の唇と眼《め》に接吻《せっぷん》した。彼女は決然たるやさしさで身をはなすと、やがて宣言した。

「ソーゲイトの宿であなたのものになるわ。それまでは、お願いだからさわらないで。

その方がいいのよ」

年老いた独身の男にとっては、愛の提供は、もはや望むべくもない贈り物である。奇跡は、条件を課する権利がある。わたしはポパヤン（コロンビア南西部、カウカ県の県都）での若い頃《ころ》と、テキサスの女の子のことを思い返した。ウルリーケのように色白ですらりとしていて、わたしに愛を拒んだ子だ。

わたしが好きか、ときくようなあやまちは犯さなかった。彼女にとっては、これがはじめてでも、これで最後でもないことが分っていた。わたしにとってはおそらく最後のアバンチュールも、この輝かしく、昂然《こうぜん》たる、イプセンの徒にとって、多数のなかのひとつにすぎないだろう。

手に手をとって、わたしたちは歩きつづけた。

「これはみな夢のようだ。しかも、ぼくは決して夢は見ない」と、わたしは言った。

「魔法使いが豚小屋で眠らせてくれるまで夢を見なかった、あの王様みたいね」と、ウルリーケは答えた。

それから、こうつけ加えた。

「ほら、鳥が歌いはじめるところよ」

まもなく、その歌が聞こえた。

「こういう土地ではね」とわたしは言う。「間もなく死ぬ人は、未来が見えると考えられている」

「そして、あたしはもうじき死ぬの」と彼女は言った。

わたしは驚いて彼女を見た。

「森を通って近道をしよう」とわたしは促した。「その方がソーゲイトへ早く着く」

「森は危ないわ」と彼女は抗弁した。

わたしたちは荒野を歩きつづけた。

「この瞬間が永久に続いたらなあ」とわたしはつぶやいた。

「『永久に』というのは、人間には禁じられている言葉よ」とウルリーケは言い、その言葉の強さをやわらげるために、よく聞きとれなかったわたしの名前をくり返してくれと頼んだ。

「ハビエル・オタロラ」とわたしは言った。

彼女はまねようとしたが、うまくゆかなかった。わたしの方も同じく、ウルリーケという名前をうまく言えなかった。

「あなたのことをシグルドと呼ぶことにするわ」。ほほえみながら彼女が言った。

「ぼくがシグルドなら、君はブリュンヒルドだ」とわたしは答えた。

彼女は歩度をゆるめていた。

「君、『サガ』を知ってますか?」とわたしがたずねた。

「もちろん。ドイツ人が後から出来た『ニーベルンゲン』で汚してしまった悲劇的な物語」と彼女は言った。

議論する気はなくて、わたしは答えた。

「ブリュンヒルド、君はまるで、ベッドでぼくたちのあいだに剣をおきたがっているような歩き方をするね」

突然、わたしたちは宿の前に来ていた。その名が、前の宿と同じ「北の宿」であることに、わたしはさして驚かなかった。

階段の上から、ウルリーケがわたしに向かって叫んだ。

「狼の声が聞こえた？　イギリスにはもう狼はいないのよ。早く」

二階へ上ってみると、ウィリアム・モリス風の壁紙がはりめぐらされていた。真紅に、果実と鳥のからまった模様の壁紙である。ウルリーケが先に立ってはいった。暗い部屋は低く、天井が切妻造りの屋根の形をみせて傾斜していた。待望のベッドが、ぼんやりと鏡にうつっており、その磨き上げたマホガニーは、聖書の鏡を思わせた。ウルリーケはすでに着衣を脱ぎすてていた。本来の名、ハビエルでわたしを呼んだ。雪が激しくなっているのが感じられた。もはや家具も鏡も消えた。二人のあいだには剣もなかった。砂のように、時間が流れた。幾世紀にわたる闇《やみ》のなかで愛が流れ、わたしは、最初にして最後に、ウルリーケのイメージを抱いた。

会議

彼らは巨大な城に向かった。その正面にはこう書かれていた。「我はなんぴとのものにもあらず、かつ、万人のものなり。汝《なんじ》はここに入る前、すでにここにあり、ここを出づる時も、なお、ここにあらん」

ディドロ『運命論者ジャックとその主人』（一七六九年）

わたしの名はアレハンドロ・フェリ。というと、なにやら武人を思わせる響きがあるが、赫々《かっかく》たる武勲も、かのマケドニヤびとの偉大な影も——これは、友情のしるしとして、詩集『大理石の柱』をわたしに献呈してくれた詩人の言いまわしだが——ここ、南地区のサンチャゴ・デル・エステロ街の、とあるホテルの上階で、こうした文章を書き綴《つづ》っている無名氏には、およそ関係がない。もっとも、南地区といったところで、昔日の「南」ではないが。わたしは、ちょうど、七十歳といくつかになろうとしており、いまなお、ひと握りの学生に英語を教えている。優柔不断のせいか、無精のせいか、それとも他の理由からか、結婚歴はなく、ずっと、ひとりである。孤独に悩むことはない。自分と、自分のくせとに折り合ってゆくので精一杯だ。自分が刻々と年とってゆくのは分っている。そのまぎれもない徴候は、新奇なものに対して、もはや興味をもつことも、目をみはることもない、という事実である。多分、そうしたものには、本質的な新しさなどなにひとつなく、小心なバリエーションにすぎないことに気がついているからだろう。若い頃《ころ》は、黄昏《たそがれ》や場末や悲運に魅《ひ》かれた。今は、都心の朝や静穏の方がいい。もうハムレットを気取ることもない。わたしは保守党に入党し、チェスのクラブの会員になった。後者はただの見物人として、それも、ときには上の空の見物人として、しばしば訪れる。詮索《せんさく》好きな人なら、メキシコ街の国立図書館の、どこか目立たぬ棚から、わたしの『ジョン・ウィルキンズの分析的言語についての小論』を一冊、取り出してくることもできる。多くの誤りを訂正するか、せめて少なくするためにでも、改版が必要な作品だ。新しい館長は文学者で、まるで現代語では幼稚さの度合が、まだ不十分だとでもいうように、古代語に没頭し、また、ドス使いたちの架空のブエノスアイレスに対する、扇動的熱狂に身をまかせているという。彼に会いたいと思ったことはない。わたしがこの都会にきたのは一八九九年だが、ただ一度だけ、ドス使い、あるいは、そういう評判の人物に、たまたま出会ったことがある。あとで、機会があれば、そのエピソードを語ることにしよう。

わたしがひとり者であることは、すでに述べた。数日前、以前わたしから、フェルミン・エグーレンの話を聞いたことのある部屋の隣人が、エグーレンがプンタ・デル・エステ（ウルグワイの海水浴場）で死んだことを教えてくれた。

エグーレンは、絶対に友人などではなかったにもかかわらず、彼の死は、いつまでも、しつこくわたしを悲しませる。そうだ、わたしひとりなのだ。この地上で、あの事件、あの**会議**《コングレソ》の秘密を守る者は、もう、わたしひとり、あの思い出を共にする者は、ほかにだれもいないのだ。いまとなっては、わたしが、**会議**の最後のメンバーなのだ。たしかにあらゆる人がそのメンバーであり、メンバーでない者は地球上にひとりもいないわけなのだが、わたしは別の意味のメンバーなのだということを知っている。そのことを知っているのだ。それが、現在、そして、未来の、無数の仲間たちとわたしとを区別するのだ。たしかに、わたしたちは、一九〇四年の二月七日に、最も神聖なものにかけて（もっとも、この地上に、なにか神聖なものがあろうか、あるいは、神聖でないものがあろうか？）、**会議**の歴史を絶対に洩《も》らすまい、という誓いをたてた。しかし、今わたしがその誓いを破るのも、これまた、**会議**の一部なのだということも、また、同じくたしかなことなのだ。この言い方は曖昧《あいまい》であるが、わたしの読者となるかもしれぬ人びとの好奇心をかきたてるだろう。

いずれにしても、わたしが自らに課した仕事は容易なものではない。いままで、書簡という形にしろ、文章をあやつった経験がないし、疑いもなくさらに重大なことは、これから記す話そのものが、信じがたいものだからである。不当にも忘れられた『大理石の柱』の詩人ホセ・フェルナンデス・イラーラの筆こそ、この仕事を負うべく定められていたはずだが、いまとなっては遅すぎる。わたしは故意に事実をまげることはしないつもりだが、怠惰と無能のために、一度ならず誤りをおかすことになるのは、もう、目に見えている。

正確な日づけは意味がない。一八九九年、わたしは故郷のサンタフェからやってきた、としておこう。わたしはそれきり戻らなかった。好きでもないブエノスアイレスという都会に、わたしは馴《な》れていった。それは、あたかも人が自分の身体《からだ》や持病に馴れていくようなものだった。大した関心もないが、わたしは、もうじき死ぬことを予見している。それゆえ、道草をくいがちな性癖をおさえて、話を進めなければなるまい。

かりに、なんらかの本質があるとしたところで、われわれのもつ本質を歳月が変えるわけではない。やがて、ある夜わたしを世界会議にいざなうことになった衝動は、まず最初、「時事新報《ウルティマ・オラ》」紙の編集室へわたしを導いたのと同じものであった。田舎出の、貧しい若者にとって、新聞記者になることはロマンチックな運命に思えた。ちょうど、首都の貧しい若者にとって、ガウチョや農夫の運命がロマンチックに見えるのと同じだ。現在のわたしにはつまらない職業に思えても、かつて新聞記者になりたかったことを、わたしは恥ずかしいとは思わない。わたしの仲間のフェルナンデス・イラーラが、新聞記者は忘却のために書くもので、自分の憧《あこが》れは、記憶と時間のために書くことだ、と言ったことを覚えている。彼は、すでに完璧《かんぺき》な十四行詩《ソネット》のいくつかを彫琢《ちょうたく》しており（当時は、この動詞が、まだ普通に使われていた）、それらは、のちに、ささやかな修正をほどこして、『大理石の柱』のページに姿を見せることになる。

はじめて**会議**のことを耳にしたのがいつだったか、正確には思いだせない。多分、会計から最初の月給をもらって、ブエノスアイレスがわたしを受け入れてくれた、この証《あか》しの心祝いに、一緒に飯を食おうとイラーラを誘ったあの時だったろう。彼は、**会議**をさぼることができないからと言って辞退した。すると、たちまち、わたしには、それがスペイン人のたむろする街路の奥の、ドームのついた麗々しい建物のことではなくて、なにやらもっと秘密めいた、もっと重要なものを指しているのだ、と分った。人びとは、**会議**のことを、大っぴらな軽蔑《けいべつ》をこめ、あるいは、声をひそめ、また、あるいは警戒心か好奇心をむき出しにして語る。だが、だれひとり、本当のところは知らないのだ、とわたしは信ずる。数週間後の土曜日、イラーラは同行しないかと誘った。必要な手続きは完了したと、彼は告げた。

夜の九時か、十時だったろう。市電のなかで、準備会はいつも土曜日に開かれること、ドン・アレハンドロ・グレンコウはわたしの名前を聞いて驚いたかもしれないが、すでに承認の署名をしてくれていることを彼から聞かされた。わたしたちは、喫茶店「ガス灯」にはいった。十五人か二十人ばかりの会員たちが、長いテーブルを囲んでいる。そこに壇があったような気もするが、わたしの記憶がそれをつけ加えたのかもしれない。議長はすぐに見分けられたが、見たことのない人物だった。ドン・アレハンドロは、すでにかなり年配の紳士で、広い額と、灰色の目と、白いもののまじった赤っぽいあごひげをもっていた。いつも、濃い色のフロックコートを着ていて、たいてい、ステッキの頭に組んだ手をおいていた。がっしりして背の高い男だった。彼の左側には、ずっと若くて、これも赤毛の男が坐《すわ》っていた。ただ、その男の鮮やかな色は火のようだったのに対し、グレンコウ氏のあごひげは、秋の木の葉を思わせた。右手には、長い顔と、せまい額が際立った、ダンディー気取りの服を着た若造がいた。みながコーヒーを、そして、なかの数人はアプサンをとっていた。最初にわたしの注意を引いたのは、女性がいることだった。あれだけの男のなかに、たったひとり。テーブルの向こう端には、セーラー服を着た十歳の男の子がいたが、まもなく眠ってしまった。そこにはまた、プロテスタントの牧師と、二人の、まがうかたないユダヤ人と、ひとりの黒人もいたが、その黒人は、絹のハンカチを首に巻き、ぴっちりした服を着て、街角のならず者のような風態だった。黒人と少年のまえには、チョコレートのカップが、ふたつ並んでいた。マルセロ・デル・マソ氏とかいう、このうえなく丁重で会話のうまい、その後二度と会わなかった人物をのぞいては、他の人のことは記憶にない。実は、ある時の会合を写した、色あせたピンボケの写真が一枚、まだ手もとにあるのだが、公表しないことにする。当時の衣装やたれ髪や口ひげなどが、滑稽《こっけい》なうえに、貧弱にさえ見えて、その場面を台なしにしてしまうからである。あらゆる集団は、独特の符牒《ふちょう》と儀式をつくるものらしい。いつも、なにがしか夢のように思われた、この会議も、その目的と、仲間の名前やあだ名まで、暇をかけて見つけることを会員に求めているようであった。まもなく、わたしには質問することが禁じられているのがわかり、フェルナンデス・イラーラにたずねることもさしひかえたほどだが、彼も、また、わたしに何も言わなかった。土曜日を欠席することは、一度もなかったが、そのことがわかるまでには、一、二カ月はたっぷりかかった。二度目の会合から、わたしの隣は、ドナルド・レンという南部鉄道の技師になり、その人が、やがてわたしに英語を教えてくれることになった。

ドン・アレハンドロは、ほとんどしゃべらなかった。他の連中が、じかに彼に話すということはなかった。しかし、彼らが彼にあてて話し、彼の賛同をもとめていることは、おのずと感じとれた。討論の主題を変えるには、彼のゆっくりした手の動きだけで十分なのだ。そのうちに、彼の左手の赤毛の男が、トワールという妙な名前であることがわかってきた。彼のどこか危うげな様子を思いだす。それは、ずぬけて背の高い人間に特有な癖で、まるで、その身長が彼らに目まいを起こさせるので、背をかがめずにはいられない、といった風なのだ。彼の両手は、今も目に浮かぶが、いつも銅の磁石をもてあそんでいて、ときどき、それをテーブルのうえに立てた。一九一四年の暮に、彼はアイルランド連隊の歩兵として戦死した。いつも右手の席を占めていた、額のせまい若者は、フェルミン・エグーレンといって、議長の甥《おい》だった。わたしは、世にも人工的な様式であるリアリズムという手法を信じていないから、少しずつ知るようになったことを、いちどきに明らかにしてしまいたい。そのまえに、当時のわたしの情況を、読者に思いだしていただこう。わたしはカシルダ出身の貧しい農夫の息子で、ブエノスアイレスにたどり着くといきなり（という感じだったが）、ブエノスアイレスの、そして多分、ひょっとすると世界のどまん中にほうりこまれていたというわけだ。半世紀たっても、あの最初の眩惑《げんわく》をまだ感じるが、たしかにそれが最後ではなかったのである。

　事実はこうだ。できるかぎり手短に話すことにしよう。議長のドン・アレハンドロ・グレンコウは、ウルグワイの農場主で、ブラジルとの国境沿いにひろがる広大な原野の所有者だった。彼の父親は、アバディーン（スコットランド北東部の都市）の出で、前世紀の半ばにこの大陸に移住した。彼は数百冊の本をたずさえて、やってきたが、あえていえば、ドン・アレハンドロが生涯に読んだのは、これらの本だけである（わたしが手にとったことのある、これらの雑多な本のことを語るのは、その一冊のなかに、わたしの物語の根源があるからだ）。父グレンコウ氏が死んだとき、娘と息子がひとりずついて、この息子がのちに、われわれの議長となったのである。娘の方はエグーレンという人と結婚し、フェルミンの母となった。ドン・アレハンドロは、一時、議会に打って出ようと望んでいたが、政界のボス連がウルグワイ議会《コングレソ》への道を阻んだ。氏は憤激し、よりスケールの大きい別の**会議**《コングレソ》を設立しようと決心した。彼は、カーライルの、あの火山のような本のなかで、アナカルシス・クローツなる人物（ジャン＝バティスト・デュ・ヴァル＝ド＝グラース。通称アナカルシス。フランス革命期の一指導者。プロイセンに生れパリに定住。扇動的活動によりロベスピエールににらまれ、一七九四年三月処刑）の運命について読んだことを思い出した。「理性」の女神の信奉者で、三十六人の外国人の先頭に立ち、パリ議会のまえで、「人類の代弁者」と称して演説した人物である。この先例に動かされて、ドン・アレハンドロは、あらゆる国のあらゆる人間を代表する**世界会議**を組織することを思い立ったのである。準備会の本部になったのが、喫茶店「ガス灯」だった。そして、四年後に予定されている開会の儀式は、ドン・アレハンドロの農場で開催されることになっていた。氏は、大方のウルグワイ人と同じく、アルティガス（ウルグワイの政治家。一七六四―一八五〇。ガウチョ出身の軍人で、アルゼンチンの革命評議会に参加したが、後、アルゼンチンに対し独立を要求して戦う）の徒ではなく、ブエノスアイレスを愛していたが、それでも**会議**は自分の国で召集したいと決心していたのである。奇妙なことに、最初の予定は、ほとんど魔術のような正確さで実現された。

最初、わたしたちは少なからぬ日当をもらっていた。しかし、燃えさかる情熱にかられて、フェルナンデス・イラーラが、わたしに劣らず貧しかったにもかかわらず、自分の分を断わってしまい、他の連中も、それにならうことになった。この処置はよい結果をもたらした。小麦と殻をより分けるのに役立ったからである。会員の数は減り、忠実な者だけが残った。給料をもらう、ただひとりの役員は、秘書のノラ・エルフィヨルドだけだった。彼女は他に生活の手段をもっていなかったし、その仕事たるや、うんざりするほどのものだったからである。地球を包含する団体を組織するのは、生やさしい仕事ではない。手紙が往来し、電報も同様である。ペルーから、デンマークから、インドから、支持者の声が届いた。あるボリビア人は、彼の国がまったく海に接していないこと、この嘆かわしい欠陥こそ、最初の討論のテーマのひとつとすべきこと、を指摘してきた。

頭脳明敏なトワールは、会議が哲学的性格の問題をはらんでいると言明した。全人類を代表する会合を計画するのは、何世紀にもわたって、思索家たちの智恵《ちえ》をしぼらせてきた謎《なぞ》である。プラトンの原型の正確な数を定めるのにも似ている。手近なところでは、ドン・アレハンドロ・グレンコウが農場主を代表するだけでなく、同時にウルグワイ人を、偉大な先駆者たちを、赤ひげの男たちを、肘掛け椅子《いす》に坐っている人びとを代表し得るということだ、と彼は言う。ノラ・エルフィヨルドはノルウェー人だ。彼女は秘書を、ノルウェー女性を、いやいや、ただ美人すべての代表者といえばいいのじゃないだろうか？　たとえばニュージーランドの技術者もふくめて、すべての技術者を代表するのに、ただひとりの技術者で十分だったのではないか？

フェルミンが口を出したのは、その時だったと思う。

「フェリはよそ者の代表というわけだ」。高笑いとともに、彼は言った。

ドン・アレハンドロは、きびしい目で彼を見て、平静に言った。

「フェリさんは、この国を築く働きをした移民の代表だ」

フェルミン・エグーレンは、わたしが目にはいるのさえ気に入らなかった。彼はさまざまなことを鼻にかけていた。ウルグワイ人であること、土着の家柄であること、女という女にもてること、金のかかる仕立て屋をえらんだこと、それに、なぜか知らないが、バスク地方出の血筋のことさえ、すべて自慢の種だった。バスク人なんて、歴史の周縁部で、牛の乳をしぼる以外になにもしてこなかった民族だというのに。

まことにつまらない事件が、われわれ二人の反目を封じることになった。あるとき会合のあとで、エグーレンはフニン街の遊廓《ゆうかく》にくりこもうと提案した。その計画には気がすすまなかったが、彼の嘲弄《ちょうろう》の的になるのがいやさに承知した。わたしたちは、フェルナンデス・イラーラと一緒に行った。店を出しなに、ひとりの大男にぶつかった。エグーレンは、少々酔っぱらっていたのだろう、その男をつきとばした。その男は、わたしたちの行く手をさえぎって言った。

「通りたい奴《やつ》は、このドスの脇《わき》を通るんだな」

入口の闇《やみ》のなかに、刃《やいば》がぎらりと光ったのをおぼえている。エグーレンがふるえあがって後ろへさがる。わたしとてこわかったが、憎悪が恐怖を上まわった。武器を引きだすふりをして、腋《わき》のしたの切りこみに手をやると、きっぱりと言った。

「通りでかたをつけようぜ」

見知らぬ男は、今度は口調を変えて、答えた。

「気に入った。あんたらをちょっと試してみたかったのさ、ダチ公」

そして親し気に笑った。

「ダチ公とおっしゃるのはそちらのご勝手だがね」と答えて、わたしたちは通り抜けた。ナイフを持った男は娼家《しょうか》にはいっていった。あとで聞いたところでは、それはタピアとか、パレーデスとか、なんでもそんな名前で、血の気の多いので有名な男だった。通りへ出てしまうと、それまで黙っていたイラーラが、わたしをぴしゃりとぶって、大げさに叫んだ。

「三人いて、銃士がひとりか。よお、ダルタニヤン！」

フェルミン・エグーレンは、自分のひるむところを見られたことで、決してわたしを許さなかった。

物語は、いま、ここで、ようやくはじまるのだと、わたしは感ずる。これまで書いてきたページは、あの信じがたい事件、多分わたしの全生涯にただひとつの事件が起こるために、偶然、あるいは、運命が必要とした情況を記録したものにすぎない。ドン・アレハンドロ・グレンコウは、いつも、その計画の中心にいた。しかし、だんだんと、本当の議長はトワールであることが感じとれ、われわれは一抹の驚きと不安をおぼえてきた。この、燃えるような口ひげをもつ風変りな人物は、グレンコウとそれにフェルミン・エグーレンにさえもへつらうのだが、それが、あまりにも誇張したやり方なので、彼らを愚弄《ぐろう》しているように見え、彼自身の威厳はいささかも損なわれないのだ。グレンコウは自分の莫大《ばくだい》な財産を自慢していた。そこで、トワールは、費用がかさみ過ぎて手にあまると匂《にお》わせるだけで、彼に計画を押しつけることができる、と見抜いたのだ。当初、**会議**は漠然たる名前にすぎなかった、と思われる節がある。トワールがたえず、拡張をすすめ、それを、ドン・アレハンドロは、かならず受け入れていた。あたかもそれは、拡大する円の中心にいるようなもので、無限に大きくなり、また、遠ざかってゆくかのごとくであった。たとえば、**会議**には参考書をおく図書館が不可欠であるという。そこで、ある本屋で働いていたニーレンシュタインが、ユストゥス・ペルテスの地図やら、雑多で、広範囲な百科事典を注文することになる。すなわち、それらは、プリニウスの『博物誌』や、ヴァンサン・ド・ボーヴェの『大鏡』にはじまって、かの有名なフランス百科全書派や、『ブリタニカ』、ピエール・ラルース、ブロックハウス、ラルセン、それにモンタネル・イ・シモンなど、かずかずの楽しい迷路（この言い方はフェルナンデス・イラーラの口まねである）にいたる。いまでも覚えているが、わたしはさる中国の百科事典の絹装本を、うやうやしく撫《な》でたものだ。りっぱに墨書された漢字が、豹《ひょう》の毛皮の斑点《はんてん》よりも、なお神秘的に見えた。やがて来るべき、それらの末路、わたしが決して嘆いてはいない末路については、ここでは、まだ言わずにおこう。

おそらく、へつらおうとしない例外的な存在だったからだろう、ドン・アレハンドロは、フェルナンデス・イラーラとわたしに格別目をかけるようになった。彼は、ラ・カレドニアと名づけた彼の農場で数日を過すようにとわたしたちを招待してくれた。そこでは、すでに左官見習いたちが仕事をはじめていた。

河をさかのぼり、いかだで渡る長い舟旅の末に、ある夜明け、対岸のウルグワイに足をおろした。それから、貧相なよろず屋に泊ったり、クチリャ・ネグラ（「黒い峰」の意の地方名）のいくつもの木戸を、あけたりしめたりしなければならなかった。一行は小型の馬車に乗って行った。その原野は、わたしの生れた農園よりも、広大で、寂しいように見えた。

いまでも、あの農場については、ふたつのイメージを抱いている。ひとつはわたしが前もって描いていたもので、もうひとつは、ついにこの目で見たものである。おろかにも、わたしは、夢でも見ているように、サンタフェの平原と、ブエノスアイレス水道局の建物との、あり得べくもない結合を描いていたのだった。ところが、ラ・カレドニアは、麦わら葺《ぶ》きの切妻屋根をもつ、日干し煉瓦《れんが》の長い建物で、煉瓦の回廊がついていた。きびしい自然と長い時間に耐えるべく、建てられたように見えた。粗い壁はほぼ一バラ（約八十四センチ）も厚みがあり、戸口はせまい。だれひとり木を植えることを思いつかなかったから、太陽は、日の出から日没まで、そのうえに照りつける。家畜の囲い場は石でできていた。牛はたくさんいて、やせこけ、角が長い。もつれた馬のしっぽが床を掃いている。生れてはじめて、と畜したばかりの肉の味を知った。堅パンの袋が持ちだされた。数日後、人夫頭が、自分は生涯パンというものを食べてみたことがないと言った。イラーラが手洗いはどこかときくと、ドン・アレハンドロは、大きな身ぶりで、全大陸を示した。月夜だった。わたしは一まわりしに出て、駝鳥《だちょう》が見ているぞ、とイラーラをおどかした。

暑熱は夜になってもおとろえず、たえがたいほどで、だれもが涼をもとめた。部屋は天井が低く、たくさんあり、家具はほとんどないようだった。わたしたちは南面した一室を与えられたが、そこには、折りたたみ寝台がふたつに、簞笥《たんす》がひとつ、それに、銀の洗面器と水さしがおいてあった。床は土間だった。

つぎの日、図書館でカーライルの本にぶつかり、例の人類の代弁者アナカルシス・クローツに献《ささ》げたページを見出した。この人物こそ、わたしを、その朝と、その人里はなれた場所に導いたものである。夕食と同じ朝食のあと、ドン・アレハンドロはわたしたちを工事場に案内した。一レグワ(約五・六キロ)ほど、荒野を馬に乗って行った。危なっかしい乗馬術のイラーラが、災難に遭った。すると人夫頭が、にこりともせず言ったものだ。

「ブエノスアイレスのおかたは、馬の下り方をよく御存じだからね」

遠くから、工事場はよく見えた。二十人ばかりの人が、一種のくずれた円形劇場のようなものを建てていた。いくつかの足場や階段が、空のひろがりをかいま見せていたのを思い出す。

一度ならず、わたしはガウチョたちと話をしてみようとしたが、その願いは空《むな》しかった。何らかの意味で、彼らは自分たちの相違を心得ていた。彼ら同士の間では、鼻にかかったブラジルなまりのスペイン語を、口数少なく使って諒解《りようかい》し合っていた。インディオの血と黒人の血が、彼らの血管を流れているのは疑いない。彼らは背が低く、頑丈だ。だからラ・カレドニアでは、わたしは背の高い男になった。これは、それまで、ついぞわたしの経験しなかったことだった。ほとんどすべての男が腰布《チリパ》をつけ、二、三人は裾をしぼったズボン《ボンバーチャ》をはいていた。エルナンデス（アルゼンチンの詩人・政治家。『マルティン・フィエロ』〈一八七二〉など、ガウチョをうたった叙事詩で有名）やラファエル・オブリガードの悩める主人公たちに共通するものは、まったくといっていいほどなかった。土曜の夜のアルコールに刺戟《しげき》されると、彼らは、たやすく暴力沙汰《ざた》を起こした。女気は、これっぽちもなかったし、ギターの音も、一度も聞かなかった。

そうした辺境の男たちにまして、わたしの興味をそそったのは、ドン・アレハンドロに起こったいちじるしい変化である。ブエノスアイレスでの彼は、にこやかで、控え目な紳士だった。しかし、ここラ・カレドニアでは、彼の父祖たちのように、一門のきびしい族長であった。日曜の朝、彼は作男たちに聖書を読んでやったが、彼らには一語だってわかりはしなかった。ある晩、父から職を受けついだ若い人夫頭が、住み込みと通いの農夫がナイフの果たし合いをしていると、報告してきた。ドン・アレハンドロは、大して急ぐ様子もなく、起きあがった。人垣のところへくると、彼は、いつも身につけている武器を引きだして、おじけづいているように見える人夫頭に渡した。それから、刃の間に分けてはいった。ただちにこう命ずるのが聞こえた。

「お前ら、ナイフを放せ」

そして同じ静かな声でつけ加えた。

「さあ握手して、おとなしくするんだ。騒ぎは、ここではごめんだぜ」

ふたりは従った。翌日、わたしは、ドン・アレハンドロが人夫頭を解雇したことを知った。

わたしは、寂寥《せきりよう》の思いがひしひしと自分をとり囲むのを覚えた。ふたたびブエノスアイレスに帰る日は、ないのではないかと恐れた。フェルナンデス・イラーラも、この恐れを抱いていたか、どうかは知らないが、ふたりは、よくアルゼンチンのことや、帰ったら、なにをしようかといったことを話し合った。オンセ広場の近くの、フフイ街のとある玄関の両脇にひかえた獅子《しし》像や、馴染《なじ》みの場所でもないあやしげな区域のさる酒場の光などがなつかしかった。昔から乗馬は得意だったから、馬に乗って遠出をするのが、わたしの日課になった。いまでも、わたしがいつも鞍《くら》をおいていた、葦毛《あしげ》の馬が目に浮かぶが、その馬は、まもなく死んでしまった。ある午後、あるいは、ある夜、わたしは、おそらくブラジルにいたこともあった。なぜなら、国境といったところで、境界として引いた一本の線に過ぎないからだ。

日を数えぬことにも馴れた頃、いつもと同じ、ある日の暮れ方に、ドン・アレハンドロが申しわたした。

「さあもう寝るとしよう。明日は、涼しいうちに出発だ」

いったん河を下りはじめると、幸福感が満ちてきて、わたしは、ラ・カレドニアを、なつかしく思いかえすことができた。

わたしたちは土曜日の集会を再開した。最初のとき、トワールが発言をもとめた。例によってはなばなしいレトリックを駆使して彼が言うところによれば、世界会議の蔵書は、参考書に限られるべきではない、あらゆる国と言語との古典を、安閑と無視すべきでない、これらは真正の証言なのだというのである。提案は即座に承認された。そこでフェルナンデス・イラーラと、ラテン語を教えているクルス博士とが、必要なテクストを選ぶ役目を引き受けた。トワールは、その問題について、すでにニーレンシュタインと話をつけていた。

当時、アルゼンチンの人間で、パリをユートピアと思わぬ者はひとりもなかった。われわれのなかでもっとも熱狂的だったのは、おそらくフェルミン・エグーレンだったろう。つぎに、まったく別の理由からだが、フェルナンデス・イラーラが二番目だった。『大理石の柱』の詩人にとって、パリはヴェルレーヌとルコント・ド・リールだったが、他方、エグーレンにとってのパリは、フニン街の改良版だったのだ。思うに、彼はすでにトワールとのあいだで、諒解に達していたのだろう。次の集会では、会員の用いるべき言語について、また、情報収集のために、ロンドンとパリに二人の代表を送る便宜について、討論がかわされた。公平を装って、トワールはまずわたしの名を持ちだし、それから、軽いためらいのあとに、自分の友人エグーレンを指名したのだ。例によって、ドン・アレハンドロは賛成した。

　レンが、イタリア語を教えるのと引きかえに、英語という、かぎりない言語の勉強への手ほどきをしてくれたことは、すでに書いたと思う。文法や、初心者用にでっち上げられた練習問題を、できるかぎりとばして、わたしたちは、いきなり詩にはいった。詩の形式は簡潔を旨とするからである。その後わたしの生涯をみたすことになった、この言語との最初の出会いは、スティーヴンソンの力強い詩篇《しへん》「鎮魂歌《レクイエム》」である。それから、パーシー（トマス。十八世紀の主教。『イギリス古謡のかたみ』〈一七六五〉を出版）が、いかめしい十八世紀に対して啓示したバラッドがつづいた。ロンドンに向けて出発する少し前には、スウィンバーンに眩惑《げんわく》されていて、いささか後ろめたくはあったが、イラーラのアレクサンドル詩格（スペイン語詩では中間休止〈セスラ〉をはさんだ十四音綴詩行）の卓越性を疑うようになっていた。

一九〇二年の一月はじめ、わたしはロンドンに到着した。生れてはじめて見た雪の愛撫《あいぶ》にふれて、ありがたい感じがしたことを、いまもおぼえている。さいわい、エグーレンとは別の旅だった。大英博物館の裏の安宿に泊って、**世界会議**にふさわしい言語を探求するために、朝に夕にその図書館に通った。世界語も見落さなかった。エスペラント、すなわち、ルゴーネス（一八七四―一九三八。アルゼンチンのモダニズム詩人）が『感傷的な暦』のなかで、「公平、単純、かつ経済的」と形容した言葉のほかにも、動詞を変化させたり、名詞を活用させたりして、あらゆる言語的可能性を試みようとしたボラピュック（一八七九年頃、ドイツ人、ヨハン・M・シュライヤーの案出した世界語）ものぞいてみた。幾世紀を経ても、なお、永続してやまないノスタルジアの対象であるラテン語の復活についても、賛否両論を検討してみた。わたしは、また、各語の定義は、それを綴る文字にあるとする、ジョン・ウィルキンズの分析的言語の調査にも、時間を費した。わたしがビアトリスを知ったのは、この図書館の閲覧室の高い円天井の下だった。

これは**世界会議**の概史であって、わたし、アレハンドロ・フェリの一代記ではない。だが、前者は、ちょうど、あらゆる他の歴史を包含するのと同じく、後者をも包含しているのである。ビアトリスは、背が高く、すらりとした、端整な顔だちの、まっかな髪の女で、その髪は、あのいかがわしいトワールを思いださせそうなものだったのに、わたし自身、一度として、そんな経験はしなかった。彼女は二十にもなっていなかった。北部のある州の出身で、まだ、大学の文学部の学生だった。彼女の生れは、わたしと同様、貧しかった。ブエノスアイレスでは、イタリア系の者は当時まだ軽んじられていた。しかしロンドンでは、イタリア系であることは、多くの人にとって、ロマンチックな味わいをもつものであることがわかった。ふたりが恋人になるのに、大して暇はかからなかった。わたしは、結婚してほしいと頼んだ。しかし、ビアトリス・フロストは、ノラ・エルフィヨルドのように、イプセン宗の徒だったから、だれにもしばられることを欲しなかった。彼女の口からは、わたしがあえて口にすることのできない言葉がとびだした。おお　夜よ、おお　共に分かつ温い闇よ、おお　秘《ひそ》かな川のように影のなかを流れる愛よ、おお　ひとりひとりがふたりとなるあの陶酔の時よ、おお　陶酔の無垢《むく》と純真よ、おお　やがて夢のなかにとけこむために身を溶かす結合よ、おお　暁の最初の光と彼女を見守るわたしよ。

ブラジルの苛烈《かれつ》な国境では、望郷の思いに苦しんだが、実に多くのものをわたしに与えたロンドンの赤い迷路では、そんなことは、たえてなかった。だが、出発を延ばすためにでっちあげたさまざまな口実にもかかわらず、その年の終りには帰らなければならなくなった。わたしたちはクリスマスを一緒に祝った。わたしは、ドン・アレハンドロが、**会議**の一員となるように彼女を招待するだろう、とうけ合った。すると彼女は、曖《あい》昧《まい》に、南半球に一度行ってみたいと思っている、従兄《いとこ》の歯医者がタスマニヤに住んでいることだし、と答えた。ビアトリスは船を見送るのはいやだと言った。彼女の考えでは、送別は不幸の無分別なお祭り、お芝居であり、わたしはお芝居はきらいなのだ、ということだった。わたしたちは、この前の冬にはじめて会った図書館で、別れを告げた。わたしは意気地のない男だ。手紙を待つ苦しみを避けるために、アドレスも教えなかった。

　復路は往路より短い、と以前は感じていたのだが思い出と悲嘆を積んだ大西洋横断の船旅は、非常に長く思われた。一瞬一瞬、一夜一夜、わたしが生きるのと並行して、ビアトリスも、また彼女の生を生きているのだと考えることほど、苦痛を与えるものはなかった。長い手紙を書いたが、モンテビデオを出航する時破いてしまった。ある木曜日、わたしは故国に着いた。イラーラが埠頭《ふとう》で待っていてくれた。わたしはチリ街のもとの宿に戻り、その日と次の日は、わたしたちは、しゃべったり、散歩したりして過した。わたしはブエノスアイレスをとり戻したいと思ったのだ。フェルミン・エグーレンがまだパリにいることを知った時は、ほっとした。彼より先に帰国したことが、ある意味で、わたしの長い留守の埋め合わせになったからである。

　イラーラは意気消沈していた。フェルミンがヨーロッパで、途方もない金額を浪費しており、即刻帰れという命令を、しばしば無視していた。こんなことは、あらかじめ予想されていたはずだった。もっと別のニュースに、わたしは不安を抱いた。トワールが、イラーラやクルスの反対をおしきって、あの青二才のプリニオを起用したからだ。彼の意見によれば、なんらかの善を内蔵しないような悪い本はないということで、「ラ・プレンサ」紙の山やら、さまざまな版による三千四百冊の『ドン・キホーテ』やら、バルメス（ルシアーノ・バルメス。一八一〇―四八、スペインの司祭、哲学者）の書簡集やら、大学の博士論文やら、勘定書やら、会報、劇場のプログラムなど、見さかいもなく買いこむことを提案した。あらゆるものが証拠になる、というのである。ニーレンシュタインが彼を後押しした。ドン・アレハンドロは、「三度のかしましい土曜日の後に」、その動議を承認した。ノラ・エルフィヨルドは秘書の役をやめて、新顔のカルリンスキーが後をおそったが、彼はトワールの傀儡《かいらい》だった。いまや、カタログもファイルもないままに、法外な包みの山が、いくつもの奥の部屋に、また、ドン・アレハンドロのだだっ広い家の酒倉に、うずたかく積まれるようになった。七月のはじめ、イラーラは、ラ・カレドニアで一週間過した。職人たちが工事を中断していたからだ。人夫頭は質問に答えて、御主人の指図に従ったまでだし、これからは暇がたっぷりあるのだから、と説明した。

　ロンドンでわたしはレポートを作成したのだが、ここでは、それを思い出す場合でもあるまい。その金曜日、ドン・アレハンドロのところへ挨拶《あいさつ》に行って、わたしの書いたものを渡した。フェルナンデス・イラーラが一緒に行ってくれた。ちょうど夕方になりかけた頃で、家のなかにパンパの寒風が吹きこんでいた。アルシーナ街に面した玄関のまえに、三頭立ての荷車が止っていた。男たちが、最後の中庭《パティオ》におろしに行く荷を背負って、背をかがめていたのが、いまも、目に浮かぶ。トワールが、居丈高に命令を下していた。そこにはまた、まるでなにか予感したかのように、ノラ・エルフィヨルドとニーレンシュタイン、そして、クルスとドナルド・レンと、その他数人の会員たちがいた。ノラはわたしを抱いてキスしたが、その抱擁とキスとが、別のそれを思いださせた。黒人は、人のよさと幸福感を満面にたたえて、わたしの手にキスをした。

ある部屋のなかには、地下の酒倉に通ずる四角い落し戸が開いていて、煉瓦づくりの階段が、闇のなかに消えていた。

突然、足音が聞こえた。姿を見るよりもさきに、はいってきたのがドン・アレハンドロだとわかった。彼は、走らんばかりの勢いでやってきた。

彼の声は別人のようだった。それは、わたしたちの土曜日の会を主宰する、ゆったりした紳士の声でもなければ、ナイフの果たし合いを禁じたり、配下のガウチョたちに神の言葉を教えたりする封建地主の声でもなく、むしろガウチョのそれに似ていた。

だれの顔も見ないで、彼は命令した。

「この下に積んであるものを、全部出せ。酒倉に一冊の本も残さぬように」

その仕事は一時間近くつづいた。わたしたちは、土の中庭に、一番背の高い人よりもまだ高い、本の山を積みあげた。一同は行ったり来たりした。動かない唯一の人間は、ドン・アレハンドロだった。

　それから、命令が下った。

「さあ、その山に火をつけろ」

　トワールはさっと青ざめた。ニーレンシュタインの口から、つぶやきが洩《も》れた。

「ぼくがあんなに精魂こめてえらんだ、この本の貴重な助けがなくなったら、**世界会議**はやってゆけないのに」

「**世界会議**だと？」とドン・アレハンドロが言った。彼は高笑いした。わたしはそれまで、彼の笑うのを一度も聞いたことがなかった。

　破壊には、ある種の不思議な悦《よろこ》びがある。火焔《かえん》は輝きながらぱちぱちとはぜ、わたしたちは壁に押しつけられたり、室内に追いやられたりした。夜と灰と焼ける匂いが中庭に残った。土のうえに白じろと、いく枚かのページが燃えのこっていたのが、いまも、わたしの視界に残っている。年長の男に対して愛を抱く若い女の常で、ドン・アレハンドロを恋していたノラ・エルフィヨルドは、事態がよくのみこめぬまま言った。

「ドン・アレハンドロには、自分のしていることがよくわかっているのよ」

　あくまで文学に忠実なイラーラは、警句をひねろうとした。

「数世紀ごとに、アレハンドリア（アレクサンドリア）の図書館は炎上しなくてはならないのだ」

　それから、事の真相が明らかにされた。

「これから言おうとすることがわかるまでに、実に四年もかかった。わしらの企てた計画は、とてつもなく広大なもので、――いまのわしにはそれがわかるが――全世界を包含するほかないことになる。それは、荒れた農場の掘ったて小屋でがなりたてる、いかさま師の集団じゃない。**世界会議**は、世界の最初の瞬間と同時にはじまって、わしらが塵《ちり》に帰ったときもなおつづいてゆくのだ。この世に、それが存在しない場所などはない。すなわち、**会議**とは、わしらがたったいま燃やした本だ。**会議**とは、ローマ皇帝の軍団に蹂躙《じゅうりん》されたカレドニア（スコットランド）人たちだ。**会議**とは、灰の山の上のヨブであり、十字架上のキリストだ。**会議**とは、わしの土地を娼婦《しょうふ》のために蕩尽《とうじん》した、あの役立たずの若造のことだ」

わたしはもう自分をおさえきれず、彼の言葉をさえぎった。

「ドン・アレハンドロ、ぼくも同罪です。ぼくは、いまお渡しした報告書を書き上げました。でも英国滞在をのばしにのばして、あなたのお金を投げすてたんです、ある女への愛のために」

ドン・アレハンドロはつづける。

「それくらいのことは、とっくに見当をつけていたよ、フェリ。**会議**とは、わしの牛だ。**会議**とは、わしが売ってしまった牛だし、もはやわしのものでない広い土地のことだ」

驚愕《きょうがく》の声があがった。トワールの声だ。

「まさか、ラ・カレドニアを売ったというんじゃないでしょうね」

ドン・アレハンドロは静かに答える。

「ああ、売ったよ。わしにはもう、猫の額ほどの土地も残ってないんだ。しかし、わしは没落を悲しんではいない。やっと、事の実相がわかったんだからな。おそらくもう諸君に会うこともないだろう。**会議**はわしらを必要としていないのだから。ところで、この最後の夜、みなで本当の**会議**を見に行こうじゃないか」

彼は勝利感に酔っていた。一同は、彼の決心と信念に圧倒された。だれひとり、一瞬たりとも、彼が正気を失ったとは思わなかった。

広場で、われわれはオープンの馬車に乗った。わたしが、どうにか御者台の御者のとなりに席を占めると、ドン・アレハンドロは命じた。

「親方、町を一まわりしよう。どこでも好きな所へやってくれ」

黒人はステップにつかまって、たえず、ほほえんでいた。彼が事態をのみこんでいたのかどうか、わたしにもわからない。

言葉とは、共通の記憶を負おうとする象徴である。ここで、わたしが語りたいと思う記憶は、わたしだけのものである。それを共有する人びとは、みな死んでしまった。神秘主義者は、ひとつの薔薇《ばら》を、接吻《せっぷん》を、あらゆる鳥である一羽の鳥を、あらゆる星と太陽であるひとつの太陽を、葡萄酒《ぶどう》の瓶子《へいじ》を、庭を、あるいは性の行為を呼びおこす。しかし、これらの比喩のどれひとつとして、あの長い歓喜の夜、わたしたちが疲労と幸福感にみちて、曙光《しょこう》を迎えた夜を表現するために、役立ってくれるものはない。車輪と蹄《ひづめ》の音が敷石のうえにとどろいているあいだわたしたちはほとんど口をきかなかった。夜が明けるまえ、たぶんマルドナードか、リアチュエロ運河だったろうが、暗く貧弱な水のほとりで、ノラ・エルフィヨルドの高い声が、サー・パトリック・スペンスのバラッド（スコットランド古謡、パーシーの『イギリス古謡のかたみ』にある）を歌いだした。すると、ドン・アレハンドロが、調子はずれの低い声で、数節を合わせた。その英語は、わたしにビアトリスのイメージを浮かばせはしなかった。わたしの背後で、トワールがつぶやいた。

「おれは、悪を働くつもりで善をなしたわけだな」

わたしたちがかいま見たもののなにがしかは、今日も残っている――レコレータ墓地の赤っぽい塀、刑務所の黄色い塀、街角で組んで踊っていたふたりの男、鉄柵《てつさく》にかこまれた市松模様の教会の中庭、鉄道の踏切り、わたしの家、市場、底知れぬ湿った夜――だが、他のものであっても一向差し支えないこうしたはかないものは、なにひとつ、いまは重要ではない。重要なのは、わたしたちが、たびたび冗談のたねにした、あの計画が、現実に、そしてひそかに存在し、世界であり、また、わたしたち自身であることを感得した、ということである。あれ以来、長いあいだ、わたしは、大した期待もないまま、あの夜の味覚を求めつづけた。何度か、音楽や恋、そしてあやふやな記憶のなかに、それを、ふたたび取りもどしたと信じた。だが、ただ一度の暁の夢を除いては、もはやもどってくることはなかった。わたしたちが、だれにも一言も言うまいと誓ったときは、すでに土曜日の朝になっていた。

イラーラは別として、彼らには二度と会わなかった。イラーラとも、あの話は決して口にしなかった。なにを話しても、結局のところ、冒瀆《ぼうとく》の言葉になるのがオチだったろうから。一九一四年、ドン・アレハンドロ・グレンコウが亡くなり、モンテビデオに埋葬された。イラーラは、すでに一年前に死んでいた。

一度だけ、リマ街でニーレンシュタインとすれちがったことがあるが、お互いに見ないふりをした。

人智の思い及ばぬこと《ゼアラー・モア・シングズ》（『ハムレット』一幕五場）

ハワード・P・ラヴクラフトを偲《しの》んで

　伯父エドウィン・アーネットが、はるか南米大陸の果てで、動脈瘤《りゅう》のために亡くなったと知ったのは、わたしがオースティンのテキサス大学で、最後の試験を受けようとするときだった。ひとが死んだときには、だれもが抱く思いをわたしも持った。いまとなっては無益だが、もっとやさしくしておけばよかったという悔いである。人間は、おたがい、死者と語らう死者なのだということをつい忘れる。わたしの専攻は哲学だった。そこで、ブエノスアイレスのはずれのロマス近くの彼の家、「カーサ・コロラーダ」（「赤い家」）で、固有名詞をただのひとつもあげずに、哲学の美しい錯綜《さくそう》をはじめて明かしてくれたのが、あの伯父だったことを思い出した。食後の一個のオレンジが、バークリーの観念論の手ほどきの道具となった。チェス盤があれば、エレア学派のパラドックスを説明するに十分だった。数年後、ヒントンの論文を貸してくれたが、それは、四次元空間の実在を証明しようという試みで、読者は、種々の色の立方体を複雑に組み合わせることによって、直観することができるだろう。書斎の床にふたりで立てたプリズム形やピラミッド形を、わたしは生涯忘れることはあるまい。

伯父は技師だった。鉄道を辞職する前に、トゥルデラに家を建てようと決心した。そこならば、田園のように鄙《ひな》びていながら、ブエノスアイレスにも近いという便宜が得られたからである。その建築を引き受けたのが、彼の親友のアレグザンダー・ミュアだったのは、至極当然のなりゆきだった。この妥協を知らぬ男は、これまた妥協を知らぬジョン・ノックス（一五一四頃―七二。スコットランドの宗教改革者）の教えを信奉していた。伯父は、当時のほとんどの紳士同様、自由思想家というよりは、むしろ不可知論者だったが、神学にも興味を抱いていた。それはちょうど、ヒントンの非実在の立方体や、若いH・G・ウェルズが上手に組み立てた悪夢に興味を抱いたのと同断だった。彼は犬が好きだった。そして大きな牧羊犬を飼っていたが、その犬に、はるかな生れ故郷のリッチフィールド（イングランド中部の都市）にちなんで、サミュエル・ジョンソン（十八世紀英文壇の大立者。リッチフィールドに生れる）という名をつけていた。

「カーサ・コロラーダ」は、西方を湿地に限られた高台に立っていた。柵《さく》の内側の南洋杉の木立ちも、重苦しい雰囲気をやわらげはしなかった。平屋根でなく、スレート葺きの切妻屋根と、時計のついた四角い塔があり、それらは壁と貧相な窓を圧迫しているようにみえた。子供の頃《ころ》、わたしはこうした醜怪さをそのまま受け入れていた。すなわち、共存しているというだけの理由で、世界と呼ばれる許容しがたいものを受け入れるのと事情は同じだった。

わたしは一九二一年に帰国した。係争を避けるために、その家はすでに競売に付されていた。それを買ったのは、マックス・プリートリアスという外国人で、最高の入札価格の二倍の金を払っていた。契約が成立するや否や、ある日暮れ方、彼は二人の助手を連れて現われ、古い牛追いの道にほど遠くないごみ捨て場に、その家のありったけの家具、ありったけの本、ありったけの道具を放り出してしまった（ヒントンの本の図表類や大きな地球儀のことを、わたしは悲しく思いおこしたものだ）。翌日、彼はミュアに会って、なにがしかの改築を申し出たが、これはミュアが憤激して断わった。結局、ブエノスアイレスのさる会社が、その事業を請け負った。土地の大工たちは、家の内部の改装を拒み、グレウ（ブエノスアイレス近郊の町）のマリアーニなる人物が、ついにプリートリアスの条件をのんだ。たっぷり半月の間、閉めきった扉の中で、彼は夜業《よなべ》をしなければならなかった。「カーサ・コロラーダ」の新しい住人が越してきたのも、やはり夜だった。窓はもはや開かれることはなかったが、闇《やみ》の中で、隙間《すきま》を洩《も》れるあかりがそれと見分けられた。ある朝、牛乳配達が、頭もなく、四肢《しし》を切られた牧羊犬の死骸《しがい》を歩道に発見した。その冬、南洋杉の木立ちが切り倒された。だれひとり、プリートリアスの姿をふたたび見た者はなく、どうやら、ほどなく国を出たものと思われた。

このような知らせは、御想像のとおり、わたしを不安におとしいれた。わたしの最も際立った特性が好奇心だということは、自分でよく承知している。それがあればこそ、わたしは、およそ自分とは合わない女を相手に、ただ彼女がだれで、どんな女か知りたいばかりに、いっとき一緒に暮したのだし、また、（これという効き目はなかったものの）阿片《あへん》チンキを常用してみたり、あるいは、超限数を探ったり、そして、これから話すあのおぞましい冒険に立ち向かうことになったのである。つまり、因果なことに、わたしはこの事件をひとつ調べてみようと決心したのである。

第一段階は、アレグザンダー・ミュアに会うことだった。わたしの記憶では、彼は丈高く、浅黒く、やせてはいるが強靭《きょうじん》な感じの男だった。しかし今では、歳月が彼の背をたわめ、漆黒のひげも白くなっていた。彼は、テンペルレイ（ブエノスアイレス南南西十八キロに位置する町で、ロマスの近く）の彼の家でわたしを迎えてくれたが、その家は、果たして、伯父の家に似かよっていた。それというのも、両方とも、あのよき詩人にして悪しき建築家たるウィリアム・モリスの、がっしりした規範にのっとっていたからである。

会話はとぼしかった。スコットランドの象徴があざみだというのは、いわれのないことではない。濃いセイロン茶と、スコーン（ホット・ケーキ風の菓子パン）をたっぷり盛った大皿（わたしのホストは、まるでわたしがまだ子供であるかのように、切り分けてバタをぬってくれた）が、実のところ、旧友の甥《おい》をもてなす、つましいカルヴィニストの御馳走《ごちそう》という感じだった。昔、彼と伯父との論争は、チェスの長い勝負で、お互いが相手との協力を必要とするものだった。

　時間が経過しても、一向用件には近づかなかった。ぎごちない沈黙の後に、ミュアが口を開いた。

「君《ヤング・マン》」と彼は言った。「君はエドウィンのことや、わしにとってはほとんど興味のない合衆国のことを話すために、はるばるここまで来られたわけじゃあるまい。君の心を悩ましているのは、『カーサ・コロラーダ』が売られたこと、そして、あの奇妙な買い手のことだね。わしも御同様だ。正直言って、この話は不愉快きわまるんだが、しかし、できるだけ話してあげよう。長い話じゃないんだ」

　ややあって、彼はゆっくりとつづけた。

「エドウィンが亡くなるまえに、市長が執務室にわしを呼んだ。教区司祭も一緒だった。カトリック教会堂のための設計図を引いてくれないかということだった。仕事の報酬はたっぷり出すと言った。わしは即座にノーと答えた。わしは主の僕《しもべ》だから、偶像のために祭壇を建てるような冒瀆《ぼうとく》を犯すわけにはゆかん、とな」

　ここで彼は話を切った。

「それでおしまいですか？」と、わたしは勇を鼓して訊《たず》ねてみた。

「いいや。あのプリートリアスの野郎め、わしの作品をぶちこわして、その代りに化け物をこしらえてくれと頼みおった。冒瀆にもいろいろあるわ」

沈痛な口調でそういうと、彼は立ち上った。

通りの角を曲ろうとすると、ダニエル・イベーラが近寄ってきた。わたしたちは、小さな町の住民のつねで、おたがい顔見知りの仲であった。彼は、トゥルデラまで一緒に帰ろうと提案した。わたしはならず者にはまったく興味がなかったし、また、多かれ少なかれ真偽のほどの疑わしい、粗暴でうす汚い裏町物語を長々と聞かされるのかと思ったが、あきらめて承知した。夜になりかけていた。数ブロックへだてて高台の「カーサ・コロラーダ」が見える所へくると、イベーラは廻《まわ》り道をした。わけをきくと、彼の答えは意外なものだった。

「おれはドン・フェリーペの右腕だ。おれのことを弱虫だとぬかした奴《やつ》はひとりもいねえ。いつかメルロ（ブエノスアイレス西郊の町）からわざわざおれを探しにきた、あのウルグワイの若造がどうなったか、お前さんも覚えているだろ。いいかい。何日か前の晩、おれは宴会から帰るところだった。あの別荘から約百バラ（一バラ＝約八十四センチ）の所で、何かが見えたんだ。馬はぶったまげて棒立ちさ。もしおれが手綱をしっかり取って脇道《わきみち》へ向けなかったら、きっと今頃こんな話はできなかったぜ。あれを見りゃあ、馬のたまげたのも道理ってものよ」

ひどくぷりぷりして、イベーラは罰あたりな言葉をつけ加えた。

その夜、わたしは眠れなかった。明け方近く、それまで見たこともない、あるいは見たけれども忘れてしまった、ピラネージ（一七二〇—七八。イタリアの銅版画家、建築家。壮大な版画集『ローマの景観』、幻想的建築画『牢獄』で知られる）風の一枚の版画を夢に見た。迷路の画《え》である。周囲を糸杉で囲まれた石の円形劇場で、それは糸杉の梢《こずえ》よりも高い。戸も窓もなく、むしろ、垂直の細い亀裂《きれつ》の無限の列といったものだ。拡大鏡を使って、わたしはミノタウロスを探した。ついに、それを認めた。怪物中の怪物。牡牛《おうし》というよりは野牛《バイソン》で、その人間の体を地上に伸ばして眠り、夢をみているようであった。何を、また、だれを夢みているのだろうか？

その夕方、わたしは「カーサ・コロラーダ」の前を通った。鉄の門扉は閉まっており、何本かの横木は曲っていた。かつて庭だったところには、雑草が生い茂っていた。右手に浅い溝があり、その縁は踏みにじられて欠けていた。

あと一押しのところだったが、わたしは何日もそれを引きのばしていた。すべては徒労だという予感のせいばかりではなく、避けがたいもの、最後の結末まで引きずられると思ったからだ。

大した希望ももたずに、わたしはグレウへ行った。大工のマリアーニは、肥《ふと》って血色のよいイタリア人で、すでにかなり年とっており、平凡で実直な男だった。一目見ただけで、わたしは前夜たてた作戦を放棄した。わたしの名刺を渡すと、彼は晴れがましく一字ずつ読み上げ、「博士」のところまで来て、敬意のためにいささか口ごもった。わたしは、トゥルデラの伯父の所有にかかる家のために彼が作った家具に、興味をもっているのだと言った。その男は延々としゃべった。彼の身ぶり手ぶりをまじえた饒舌《じようぜつ》を逐一ここに写す気はないが、なんでも、彼のモットーは、いかに途方もないものといえども、顧客のあらゆる要請を満たすことにあり、従って、一点一劃《かく》にいたるまで忠実に仕事を遂行した、ということであった。彼は引出しをいくつもひっかきまわしたあげく、わたしにはさっぱりわけのわからない書類を見せてくれたが、それには判読しにくいプリートリアスの署名があった（どうやら彼はわたしを弁護士とまちがえたらしい）。別れる時、彼は、世界中の黄金を積まれても、二度とトゥルデラに足を踏み入れたくはない、いわんやあの家は真っ平だと打ち明けた。また、お客様は神様だとはいえ、あっしのけちな意見では、あのプリートリアスの旦那《だんな》は常軌を逸している、ともつけ加えた。それから黙りこみ、明らかに悔んでいるようだった。それ以上は何一つ聞きだせなかった。

この失敗は予測していた。しかし、予測することと、それが実現することとは、全然別のことである。

時間、すなわち、昨日・今日・未来、あるいは、恒常と非存とを綴《つづ》るこの無限のたて糸こそ、唯一の謎《なぞ》であって、他《ほか》はとるにたらぬ、とわたしはくり返し自分に言いきかせた。だが、このような深い省察も、なんの役にもたたなかった。午後はショーペンハウアーヤロイス（一八五五—一九一六。アメリカの哲学者。絶対的プラグマティズムを主張）の研究に没頭し、そのあと、わたしは夜な夜な、「カーサ・コロラーダ」をめぐる土の道を徘徊《はいかい》した。あるときは、階上に非常に白い光を認めた。また、あるときは、呻《うめ》き声を聞いたような気がした。こうして、一月十九日に到《いた》った。

　それは、夏が人を虐待し侮辱するばかりか、卑しめているとさえ感ずるような、ブエノスアイレス特有の一日だった。夜の十一時頃、突然、嵐《あらし》が吹きだした。まず南風が襲い、次いで奔流のような雨がやってきた。わたしは木蔭《こかげ》を求めてさまよった。雷光の一《いっ》閃《せん》で、例の柵から数歩のところにいることに気づいた。恐怖からか希望からかは知らず、門に手をかけた。思いがけなく、それは開いた。嵐に押されて進む。天と地とがわたしをおびやかした。家の扉も半ば開いていた。雨の鞭《むち》が顔を打ち、わたしは中にはいった。

　内部は床の舗石がはがされており、わたしはもつれた草に踏みこんだ。甘く、むかつくような匂《にお》いが家中にたちこめている。右か左かよく分らないが、石の斜面にぶつかった。急いで昇って行った。ほとんど無意識のうちに、電灯のスイッチを押していた。

　かつて食堂と図書室だったと記憶する場所は、いま、境の壁が崩され、一、二の家具をおくだけの、ただがらんとした大きな部屋になっていた。ここにそれを描写するのはやめよう。なにしろ、仮借ない白光にもかかわらず、それらを見たことさえ、今はさだかでないのだから。わたし自身に説明するのを許してもらおう。一つのものを見るということは、それを理解することだ。肘掛け椅子《ひじかいす》は、人間の体を、その関節と四肢とを想定する。鋏《はさみ》は、切るという動作を想定する。ランプ、あるいは、乗物についてはどうか？　未開人は伝道者の聖書を体得できぬ。船客は、水夫と同じ索具を見るわけではない。もしわれわれに本当に世界が見えれば、おそらくそれを理解できるだろう。

その夜わたしが見ることのできたさまざまの無意味な形のなかで、人間の姿形に照応するもの、あるいは、およそ、その用途の思い浮かぶものは皆無である。わたしは不快感と戦慄《せんりつ》に襲われた。一隅に、階上へ通ずる梯子《はしご》を発見した。十段もない鉄の桟の間隔は、広くて不揃《ふぞろ》いである。ただ、手と足を当然の前提とする梯子は、把握することができるから、ある意味でわたしをほっとさせた。電灯を消して、しばらく、闇のなかでわたしは待った。なんの物音もしない。だが、数々の得体の知れぬものの存在が、わたしの気持をかき乱した。ついに、わたしは決心した。

階上に着くと、わたしはふるえる手で二度目に電灯のスイッチを押した。階下で予感した夢魔の世界が、階上で生気を帯び花開いた。おびただしい物体、または連結した少数の物体があった。いま思い出せるのは、一種の長い手術台で、非常に高く、U字形をしており、両端に丸い凹《へこ》みがあった。それは、この家の住人の寝台だと思われた。動物や神のそれが影によって現われるように、怪物の解剖学的構造が、このようにしてその姿を暗示しているのである。ルーカーヌス（三九—六五。コルドバ生れのローマの詩人）のどこかのページで昔読んだきり忘れていた「両頭の蛇」という言葉が、ふと唇に上った。それは、わたしの眼《め》がやがて見るものを暗示してはいたものの、たしかにそれを言い尽くしていたわけではない。わたしはまた、上部が闇に消えていた鏡のV字形も覚えている。

ここの住人とは、いったいいかなるものだろうか。われわれにとって彼がおぞましいと同様、彼にとっておぞましいはずのこの地球上に、彼はなにを求めているのか。天文学、あるいは、時間の、いかなる謎の地域から、いかなる蒼古《そうこ》の、今となっては計り知れぬ薄明のなかから、この南米の郊外、しかもほかならぬこの夜に、それは到達したというのか。

わたしは自分が混沌《こんとん》への侵入者のような気がした。戸外では、雨はすでにやんでいた。時計を見ると二時近いので驚いた。電灯をつけたまま、わたしは注意深く降りはじめた。先刻昇ってきた道を降りるのは不可能ではない。住人が戻る前に降りるのだ。それが扉を閉めておかなかったのは、閉め方を知らないからだ、とわたしは推測した。

わたしの足が、梯子の下から二段目にかかった時、何かのしかかるような、そして緩やかで、複数のものが、斜面を昇ってくる気配を感じた。好奇心が恐怖にうちかち、わたしは両眼を閉じなかった。

三十派

その原典は、ライデン大学図書館（ライデンはオランダ西部の古都）へ行けば閲覧できるはずである。ラテン語で書かれているが、古代ギリシア語法も一、二まじっており、ギリシア語から訳されたものという推測が裏づけられる。ライゼガング（一八九〇—一九五一。ドイツの哲学者。ヘレニズム時代の宗教史を研究）によれば、それは紀元四世紀にさかのぼるという。ギボンは、『ローマ帝国衰亡史』第十五章の脚註《きゃくちゅう》のひとつで、これに軽く触れている。無名の著者の記録するところは以下のごとくである。

≪……この教派は、もとより多数の信徒を擁するものではなかったが、いまでは新帰依者も、まことにわずかである。剣と火によって多くを失い、彼らは道のほとり、あるいは戦火を免れた廃墟《はいきょ》に住む。いかなる住居も建てることを禁じられているゆえである。つねに裸体で歩行する。ここに記すところは、ことごとく周知の事実である。私の目下の目的は、その教義と慣習について、ゆくりなくも私に与えられた見聞を、記録にとどめようとするものである。私はかの導師たちと延々議論を重ねたが、ついに彼らをして主の信仰に回心させることを得なかった。

　私の注意をひきつけた第一のことは、死者に関する彼らの考えの多様性である。最も無学の輩《やから》は、この世を離れた者の埋葬は、彼らの霊に委《ゆだ》ねられるべきだと信じている。他方、逐語的解釈をとらぬ者は、「死にたる者にその死にたる者を葬らせよ」（『マタイ伝』八章二十二節）というイエスの訓戒は、われわれの葬儀の虚礼をいましめるものだと主張する。

　おのれの持てる物を売って貧しき者に与えよというすすめは、信徒によって厳密にまもられている。最も持てる者は持たざる者に与え、その者はまた他《ほか》の持たざる者に与える。このことは、彼らの貧困と裸形を十分説明するものであり、それはまた、彼らを天国の状態に近づかせるのである。彼らは熱烈に次の句をくり返す。「鴉《からす》を思ひ見よ、播《ま》かず、刈らず、納屋も倉もなし。然《しか》るに神は之《これ》を養ひたまふ、汝《なんぢ》ら鳥に優《すぐ》ること幾《いく》許《ばく》ぞや」（『ルカ伝』十二章二十四節）。その教えは、貯《たくわ》えることを禁ずる。「今日ありて明日、炉に投げ入れらるる野の草をも、神はかく装ひ給へば、まして汝らをや、ああ信仰うすき者よ。さらば何を食《くら》ひ、何を飲み、何を著《き》んとて思ひ煩ふな」（『マタイ伝』六章三十―三十一節）「すべて色情を懐《いだ》きて女を見るものは、既に心のうち姦淫《かんいん》したるなり」（『マタイ伝』五章二十八節）なる教えは、純潔を守る上の明確な忠告である。とはいえ、もし欲情をいだいて女を見たことのない男が天が下に一人もないとすれば、すべての男が姦淫を犯したことになると指摘する信徒も多い。単なる欲望も行為にひとしい罪であるとするならば、正しき者が心おきなく、最もすさまじい淫乱《いんらん》に身をまかすこともあり得るであろう。

　この派は、教会を忌避する。長老たちは、戸外で、丘の上、あるいは塀の上から、またときには、岸辺の舟の上から説教をする。

　この派の名称は、その由来について幾多の執拗《しつよう》な臆測《おくそく》を誘発してきた。そのひとつは、忠実な信徒が漸減《ぜんげん》した結果、残った数を指すものだろうという。これは嗤《わら》うべきものだが予言的でもある。この教派は、その頑迷な教義のゆえに、死滅の運命をたどらざるを得ぬからである。また一説によれば、方舟《はこぶね》の高さ、三十腕尺（一腕尺は約四十二センチ。古代エジプト、ヘブライ、ローマなどで使われた単位）に由来するという。別の一説は、天文学を歪曲《わいきょく》して、陰暦のひと月を構成する夜の数だという。また一説は、救世主の洗礼時の年齢という。また、赤い塵土《じんど》から出現した時のアダムの年という説もある。これらは、いずれおとらず誤りである。また、雄鶏《おんどり》の頭と人間の腕と胴ととぐろを巻く蛇の尾によって体現されるアブラクサス（アレクサンドリアのグノーシス派が最高神を暗示するのに用いた呪文）をふくむ、三十の神格や聖座のカタログだとするのも、おなじく虚偽である。

　真理は、悟るもので、論ずることはできぬ。真理を伝達するという計り知れない天稟《てんぴん》は、私には授けられなかった。願わくは、私よりめでたき才に恵まれた人びとが、言葉によってかの教派の者を救われんことを。言葉によって、あるいは火によって。自殺よりは処刑の方がまだしもましであろう。従って、私は忌むべき邪教の実態を述べるにとどめる。

神の「言葉」は、民衆の中の人となるべく、肉体化された。民衆は、その人を十字架にかけ、その主によって贖《あがな》われることとなった。主は、「愛」を説くばかりか、受難するために、えらばれた民のなかの女性の胎から生れたもうた。

事件はすべからく忘れがたいものでなければならぬ。ひとりの人間の、剣による死、あるいは毒人参《にんじん》による死ぐらいでは、この世の終りまで人類の想像力を刺戟《しげき》するには十分ではない。神は、事件を、悲愴《ひそう》にしつらえられた。最後の晩餐《ばんさん》も、裏切りを予言するイエスの言葉も、弟子のひとりに対してくり返される警告も、パンと葡萄酒《ぶどうしゅ》の祝福も、ペテロの誓いも、ゲッセマネの園での孤独な徹宵《てっしょう》も、十二弟子の眠りも、神の子の人間的な祈りも、血のごとき汗も、多くの剣も、裏切りの接吻《せっぷん》も、手を洗うピラトも、鞭《むち》打ちも、嘲笑《ちょうしょう》も、茨《いばら》の冠も、紫衣《しえ》と葦《あし》の笏《しゃく》も、苦味をまぜた酸い葡萄酒も、丘の頂の十字架も、よき盗人《ぬすっと》への約束も、地が震い、暗黒がおおったことも、すべてこれで納得がゆく。

私がかくも多くの恩恵を蒙《こうむ》っている神意は、この教派の名前の、真正にして秘密の由来を発見せしめたもうた。どうやらその教派の発生地点とおぼしいケリオスに、「三十の銀貨」と呼ばれる秘密集会が今なお存続している。これは原名であって、われわれに鍵《かぎ》を与えてくれるものである。十字架の悲劇には——私はこれをしかるべき崇敬の念をこめて書いているのだが——自覚する、しないとにかかわらず、いずれも不可欠、かつ、いずれも宿命的な役者たちがいた。銀貨を渡した祭司たち（ユダに銀貨三十枚を与えた）も自覚してはいなかったし、恩赦の対象に盗賊バラバを選んだ民衆も、ユダヤの総督も、主の受難の十字架をたて、釘《くぎ》を打ち、主の衣をくじ引きで分けたローマの兵士たちも、自覚していたわけではない。はっきりと自覚していた役者はただ二人——キリストとユダである。後者は、魂の救いの代償である三十枚の銀貨をなげうち、直ちに首をくくった。このとき、彼は、「人の子」と同じく三十三歳であった。その教派は、両者をひとしく崇《あが》め、他のすべての者を赦《ゆる》す。

罪深いだけの者はひとりもいない。知る、知らざるを問わず、神慮にもとづく計画の遂行者でない者はいなかったのである。思えば、すべての者が、栄光を分かち合っているのだ。

もうひとつ忌むべきことを書き記そうとして、いま、私の手は逆らっている。信者たちは、一定の年齢に達すると、師の模範に倣い、みずから嘲弄《ちょうろう》を受け、丘の頂で十字架にくくりつけられる。この、罪深き第五誡《かい》の冒瀆《ぼうとく》は、人及び神の法が常に要請してきた厳酷さをもって、終熄《しゅうそく》せしめられねばならぬ。願わくは、天の呪《のろ》いが、天使たちの

憎しみが……》

この草稿の結末は、まだ発見されてはいない。

この物語を聞いたのは、フロリダ通りをピエダまで上ったあたりの、古い喫茶店「鷲《アギラ》」だった。

そこで、認識の問題が論じられていた。だれかがプラトンの理論を持ちだして、われわれはあらゆるものを前世において見ているのであるから、知ることとは、知り直すことなのだと言う。わたしの父——だったと思う——は、覚えることが思いだすことならば、知らないことは、実はすでに忘れたことを意味する、とベイコンが書いていると言った。別のひとり、かなり年輩の紳士は、この哲学談義に閉口したとみえて、口をはさむことにした。ゆっくりと確信をこめて、彼はこう語った。

——《わしは、このプラトンの原型なるものについてはまだよく分らぬ。黄色なり黒なりをはじめて見たとき、あるいは、ある果物をはじめて味わったときのことは、だれも覚えてはおらぬ。多分、その頃《ころ》はあまりにも幼くて、それがその後の非常に長い連鎖のはじまりに当るなどとは、思いもよらぬからだろう。むろん、別の、決して忘れられぬ最初の時、というものもある。わしがよく思いだすある一夜が、わしに与えてくれたもののことをお話ししようかな。一八七四年四月三十日の夜だったが。

昔の夏休みは今より長かったが、それにしても、なぜそんなに遅くまで、ブエノスアイレスを離れて、ロボスから遠からぬ親戚《しんせき》の所有地「ドルナ」に滞在していたのか、さだかでない。その間、牧童のひとりルフィーノが、田舎のことについてなにくれとなく手ほどきをしてくれた。わしは十三になるところだった。彼はかなり年上で、向こうみずの評判をとっていた。非常に敏捷《びんしょう》だった。若い者が、先を焦がした棒でチャンバラのまねごとをするとき、顔に炭をつけられるのは、きまって彼の相手だった。ある金曜日、ルフィーノは、明日の晩、町へ出かけてちょっぴり楽しもうじゃないかと提案した。わしもちろん承知した。が、実はどういうことなのかよく分らなかったのだ。そこで、わしは、踊れないからと予防線を張っておいた。なに、踊りなんざじき覚えるさ、と彼は答えた。夕食のあと、七時半頃出かけた。ルフィーノは、まるで祭にでも行くようにめかしこんで、銀の短刀をひけらかしていた。わしはといえば、自分の小刀は持っていかなかった。笑われるのがいやだったのでね。まもなく、最初の家並みが見えてきた。あんた方は、ロボスに行ったことはおありなさるまいな。まあ、そんなことはどうでもよろしい。あの地方の町は、どれもこれも似たりよったりだ。それぞれ、ここだけはちがう、と思いこんでいる点までもな。同じような土の小路、同じような空地、同じような低い家並み、いずれも、馬上の男をいよいよえらそうに見せるためのお膳《ぜん》だてといったところだ。とある町角の、空色かばら色に塗った一軒の家の前で馬を下りた。「星《ラ・エストレージャ》」という看板が出ていた。柵《さく》には、上等な鞍《くら》をおいた数頭の馬がつないであった。半ば開いた入口から、一条の光が見えた。玄関の奥に大きな部屋があって、その両側の壁に沿って木のベンチがならび、ベンチのあいだには、どことも知れぬ場所へ通ずるいくつもの暗いドアがあった。黄色い毛の小犬が吠《ほ》えたてながら走り出てきて、わしに尾を振った。かなりの人がいた。五、六人の女が、花模様のガウンを着て、行ったりきたりしていた。黒ずくめの衣装の、威厳のある婦人が、この家の女主人《あるじ》と見えた。ルフィーノは彼女に挨拶《あいさつ》して、こう言った。

「新しい友だちを連れてきたよ。まだ馬はよくやれないけどね」

「心配御無用、じきに覚えるよ」と彼女は答えた。

わしは恥ずかしかった。注意をそらすために、そして、まだ子供だと思わせるために、ベンチの端で、犬とじゃれはじめた。台所のテーブルの上で、罎《びん》にはいった何本かの安蠟燭《ろうそく》が燃えていたし、奥の片隅には、たしか小さな火桶《ひおけ》もあったな。向こう側の白い壁には、聖母の画《え》がかかっていた。

だれかが、冗談の合間に、えらく苦労してギターの絃《げん》を合わせていた。まったくの臆《おく》病《びょう》から、わしはジンを断われなかったが、それは燃えさしのように口を焼いた。女たちのなかで、ひとりだけ他《ほか》と様子のちがう女が目についた。「囚われ女《ラ・カウティーバ》」と呼ばれていた女だ。いく分インディオの血を思わせるものがあったが、目鼻立ちは描いたようで、目はひどく悲し気だった。三つ編みのお下げが、腰までとどいていた。わしが彼女を見つめているのに気づくと、ルフィーノが彼女に言った。

「また例の襲撃の話をしてくれよ。忘れちまわないようにな」

その娘は、まるで自分以外にはだれもいないかのように、そして、他のことは一切考えられず、また、それが生涯唯一の出来事だと思えるような調子で語った。こういう話だ。

「あたしがカタマルカから連れてこられたのは、ごく小さいときだった。インディオの襲撃のことなんか、知るわけがないでしょ。サンタ・イレーネの農場では、そのことはだれも口にもださなかった、こわいから。でも秘密が解けるように、あたしにもだんだん分ってきたの、インディオは雲のようにふりかかって、人を殺し、家畜を盗《と》ってゆくってことが。女は奥地へさらっていって、いいようにするんだわ。あたしは、できるだけ信じないことにしたの。兄のルーカスは、あとで槍《やり》で突かれちゃったんだけど、そんなことはみな嘘《うそ》っぱちだと誓ったのよ。でも、あることが真実だったら、だれかがたった一言いうだけで、本当だと分るのよ。政府は、インディオをなだめるために、強いお酒とマテ茶を配給したけれど、彼らには、とても賢い呪《まじな》い師がついていて、それが彼らに助言するわけ。部族長の命令一下、遠く離れた二つの砦《とりで》の中間の農場を踏みにじることぐらい、彼らにとっては朝飯前なのよ。あんまりそのことばかり考えたもんだから、あたしは、いっそきてほしいと思うほどになり、いつも日が沈む方角を眺めていたわ。どのくらい時がたったのか分らないけれど、霜と夏と牛の焼印の時期が何度かあって、牧夫頭の息子が死んで、それから、あの襲撃があったのよ。それはまるでパンパの風が持ってきたようだったわ。あたし、溝のなかにあざみの花を見て、その晩、インディオの夢を見たの。それは明け方のことだった。動物は人間より先に気がついたわ、ちょうど地震のまえのように。牛たちは落ちつかなかったし、空では鳥が右往左往。みなは、あたしがいつも眺めていた方角を見に走ったわ」

「だれが知らせたんだい？」とだれかが訊《き》いた。

娘は、相変らずずっと遠くにいる様子で、最後の言葉をくり返した。

「あたしがいつも眺めていた方角を見に走った。まるで、砂漠全体が動きだしたようだった。鉄格子の横棒の間から、インディオよりさきに、舞い上る砂煙が見えた。襲撃が来たのよ。彼らは手で口をたたいて、ホーホーと声をあげていたわ。サンタ・イレーネにはライフルが何梃《ちょう》かあったけれど、音でおどかすだけで、彼らの狂暴さをますますつのらせる役にしかたたなかったわ」

ラ・カウティーバは、祈りを暗誦《あんしょう》する人のように話したが、わしには、通りに砂漠のインディオとその鬨《とき》の声が聞こえた。突然、夢の断片に馬で闖入《ちんにゅう》したように、彼らが部屋になだれこんでいた。酔っぱらった無法者の一団だった。今思いだしてみると、記憶のなかの彼らは、ひどく背が高く見える。先頭に立ったひとりが、戸口の近くにいたルフィーノをひじで突いた。こちらは顔色を変えて脇《わき》へどいた。黒ずくめの婦人は、その場を一歩も動かずにいたが、すっくと立ってわしらに告げた。

「フワン・モレイラだよ」

なにぶん昔のことなので、今覚えているのがあの晩の男なのか、それともその後たびたび牛の市で会った男なのか、心もとない。ポデスタ（モレイラの立ち回りを舞台上で初めて演じたパントマイム役者）の、長髪と黒いあごひげが目に浮かぶが、同時に、赤ら顔のあばた面も思いだす。小犬がちょこちょこ出てきて、彼にじゃれついた。一鞭《ひとむち》で、モレイラはそいつを床にのばした。あおむいて、四肢《しし》をもがきながら小犬は死んだ。実は、話はここからはじまるのだ。

わしは音をたてずに、ドアのひとつにたどりついた。それはせまい廊下と階段に通じていた。二階へあがって、暗い部屋に身をひそめた。ひどく低い寝台のほかには、そこに家具があったかどうか覚えがない。わしはふるえていた。階下では、もの音は一向おさまらず、窓ガラスが割れていた。あがってくる女の足音が聞こえ、一瞬細い光の筋が見えた。それから、ラ・カウティーバの声が、囁《ささや》くようにわしを呼んだ。

「ここでは、サービスするのがあたしのつとめよ。ただし、穏やかな人だけね。こっちへいらっしゃい。なにも悪いことはしないから」

彼女はすでにガウンを脱ぎすてていた。わしは彼女の脇に横になって、両手でその顔をまさぐった。どのくらい時間がたったのか分らない。わしらは一言も交さず、キス一つしなかった。わしは彼女の三つ編みのお下げをほどいて、ひどくまっすぐな髪とたわむれ、それから彼女とたわむれた。わしらはその後二度と会わなかったし、彼女の本名さえ聞かずじまいだった。

銃声がわしらをおどろかした。ラ・カウティーバが言った。

「別の階段から外へ出られるわ」

その通りにすると、土の小路に出た。月夜だった。警部がひとり、剣つきライフルをかまえて、塀ぎわで見張っていた。彼は笑ってわしにこう言った。

「見たところ、早起きの仲間ってところだな」

わしは何か答えたはずだが、彼は見向きもしなかった。ひとりの男が、塀をずり下りてきた。とびかかって、警部は銃剣でその肉を貫いた。男は土に落ち、あおむけにのびて、うめき、血を流した。わしはあの犬のことを思いだした。とどめを刺すために、警部はもう一度銃剣を深く埋めた。

「今日という今日は、うまくゆかなかったな、モレイラ」

小おどりするように彼は言った。

四方八方から、その家を囲んでいた制服の男たちが駆けつけてきて、それから、隣近所の者が出てきた。アンドレス・チリーノ警部は、その武器を力まかせに引き抜かなければならなかった。だれもが彼と握手したがった。

「このあにいの切ったはったも、これでおしまいさね」

ルフィーノが高笑いしながら言った。

わしはあちこちの人だかりを廻《まわ》りながら、この目で見たことをみなに話した。突然、すっかり疲れたような気がした。多分熱もあっただろう。人ごみから脱け出て、ルフィーノを探し、一緒に帰った。馬上から、夜明けの薄明かりが見えた。疲れるというより、事件の奔流のせいで、目がまわったような感じだった》

「その晩の大きな河のせいだね」とわしの父が言った。

「その通り」と相手はうなずいた。「あのわずか数時間のうちに、わしは愛を知り、死を見たんだからな。あらゆる人間に対して、あらゆることが啓示される、あるいは、少なくとも、ひとりの人間が知ることを許されている限りのあらゆることがな。しかし、わしには、たった一晩のうちに、この二つの肝腎《かんじん》なことが啓示されたのだ。長い年月がたって、あまり何度もこの話をしたので、今はもう、事実を覚えているのか、それとも、自分の語る言葉を覚えているだけなのか、とんと分らなくなった。おそらく、ラ・カウティーバにしても、あの襲撃について、事情は同じだったのだろう。いまとなっては、モレイラの殺されるところを見たのが、わしだろうと他人だろうと、どちらでも同じことだ」

鏡と仮面

クロンターフの戦いが終り、ノルウェー軍が一敗地にまみれた後、アイルランドの大王は、宮廷詩人に向かってこう言った。

「いかに赫々《かっかく》たる武勲も、言葉に刻まれずしてはその光輝を失う。わが勝利と、予を讃《たた》える歌をうたってくれ。予はアエネアスとなろう。そちは予のウェルギリウスとなれ。われら両人を不滅となすべきこの事業を、そちはよく果たしうると思うか、どうじゃ」

「はい、王さま」と詩人は答えた。「私は学匠《オラン》でございます。十二回の冬が巡る間、詩法の鍛錬を積んでまいりました。まことの詩の基をなす三百六十の伝説をそらんじております。アルスターとマンスター（ともにアイルランドの旧地方名）の古譚《たん》類も、私の竪琴《たてごと》の絃《いと》が知っております。わが国語の最も古い言葉と最も複雑な暗喩《あんゆ》を、意のままに用いることを、法により許されております。俗人どもの軽々しい詮索《せんさく》から、われらの芸術《わざ》を守る秘密の書法も会得いたしました。くさぐさの愛と家畜盗人《ぬすっと》と航海と戦いとを讃えることもできます。あらゆるアイルランド王家の神話の系譜も心得ております。諸草の薬効、占星術、数学、教会法も知っております。あまたの好敵手を、公開競技でうち破りました。レプラもふくめ、皮膚の病いをひきおこす風刺にも習熟いたしました。剣をあやつる術に長《た》けておりますことは、さきの戦いで御承知のとおりでございます。私の心得ぬことはただひとつ——私に賜わる贈り物に謝する法でございます」

王は、他人の長広舌にはすぐあきるたちだったから、ここでほっとしてこう言った。

「そのようなことはよくよく承知しておる。ところで、イングランドでは、夜鶯《やおう》がすでに啼《な》いたと聞いたところじゃ。雨と雪が過ぎ、夜鶯が南の国から戻ったとき、全宮廷のまえ、また翰林院《かんりんいん》のまえで、そちの頌歌《しょうか》を朗誦《ろうしょう》するのじゃ。まる一年を与えよう。一字一句を彫琢《ちょうたく》せよ。報奨は、そちも知るとおり、王の慣例にも、そちの徹宵《てつしょう》の霊感にも、値せぬものではないぞ」

「王さま、竜顔を拝するにまさる報奨がございましょうや」と詩人は答えた。彼もまた、一廷臣にすぎなかった。

うやうやしく一礼して退出するとき、彼の脳裡《のうり》にはすでに二、三の詩句がかすめていた。

たまたま疫病と反乱の年だったが、期限が満了して、詩人は頌歌を奉呈した。それを彼は、荘重に、確信をこめて、草稿には一瞥《いちべつ》もくれずに朗誦した。王は、うなずきつつ嘉納《かのう》を示した。一同は、戸口につめかけた者にいたるまで、一語も解せぬにもかかわらず、王の身ぶりに倣った。最後に王は口をひらいた。

「そちの辛苦を多としようぞ。これぞ、勝利の再現じゃ。おのおのの言葉に真正の意味を与え、おのおのの名詞に、第一級の先人らの与えた形容詞を附した。この全頌詞に、かつて古典に用いられたためしのない形象はひとつとてない。戦いは、人間の美しい織物であり、血は剣の水である。海には神々が住みたまい、雲は未来を卜《ぼく》する。脚韻、頭韻、類韻、音量、該博な修辞学をあやつる手練、韻律の賢明な変改、いずれも見事な技じゃ。たとえ、アイルランドの全文芸が滅ぶとも——つるかめ《オーメン・アブシット》つるかめ——そちの頌歌の鑑《かがみ》さえあれば、いささかの損失もなく再建されるであろう。三十人の書記に命じて、これを二度筆写せしめようぞ」

しばしの沈黙のあと、王は続けた。

「すべては上々じゃ。にもかかわらず、何事も起こらぬ。血管を走る血の流れは一向速まりもせぬ。手は弓を求めぬ。だれひとり青ざめた者もおらぬ。鬨《とき》の声をあげた者もなく、胸をさらして敵《バイキング》に向かった者もおらぬ。詩人よ、一年が終るまえに、再びそちの頌歌を、喝采《かっさい》をもって迎えたいものじゃ。予が賞讃《しょうさん》の印に、この銀の鏡をとらせよう」

「有難く御礼申し上げ、かつ承知いたしました」と詩人は言った。

天上の星々は、その光の航路を経めぐった。サクソンの森にふたたび夜鶯がうたうと、詩人は草稿をたずさえて戻ったが、このたびは前のものより短かった。彼はそれを暗誦はしなかった。明らかな躊躇《ちゆうちよ》をみせつつ読み、さながら彼自身完全に諒解《りようかい》しておらず、あるいは、それを冒瀆《ぼうとく》することを恐れるかのごとく、ところどころ章句をとばしさえした。その詩は奇妙なものだった。戦いの描写ではなく、戦いそのものであった。その混沌《こんとん》たる戦いのなかでは、三位一体なる神とアイルランドの異教の神々、それに、数百年の後に『古エッダ』の冒頭で戦うはずの神々とが、たがいにせめぎ合っていた。その形式もまた、劣らず変っていた。単数の名詞が、動詞の複数形を支配している。前置詞の用法も尋常ではない。苛酷《かこく》と甘美とが交互にあらわれる。暗喩は気まぐれな思いつきであるか、またはそのように見えるものであった。

王は周囲を取り巻く文人たちとしばらく言葉を交した後、こう言った。

「そちの最初の頌歌については、かつてアイルランドでうたわれた歌の、めでたき集大成であったと断言してはばからぬ。今度のものは、先行のあらゆるものを凌駕《りようが》し、同時に、それらを無に帰するものである。これは人を呆然《ぼうぜん》たらしめ、驚倒させ、眩惑《げんわく》させる。無知なる者はこれに値しないが、博識の、少数者にはふさわしい。象牙《ぞうげ》の箱に、この唯一の草稿を安置しよう。かくもすぐれた作品を産みだしたそちの筆に、われらはいまひときわ崇高な作品を期待できような」

微笑しつつ王はつけ加えた。

「われらは寓話《ぐうわ》の人物となった。して、寓話においては、三なる数が卓越することを忘れてはなるまいぞ」

詩人は大胆にもこうつぶやいた。

「妖術師《ようじゅつ》の三つの贈り物、三幅対、それから、明々白々たる三位一体」

王は続けた。

「予が承認の証拠に、この黄金の仮面をとらせよう」

「有難く御礼申し上げ、かつ承知いたしました」と詩人は言った。

一年後のその日が、またもめぐってきた。宮殿の衛士たちは、詩人が草稿をたずさえていないことに気づいた。王は彼を見て少なからず驚いた。さながら別人のごとくであった。時以外の何ものかが、彼の顔面に皺《しわ》を刻み、まったく変貌《へんぼう》させていたのだ。両眼《め》は、遠方を見ているか、あるいは盲目となったかのようだ。詩人は、王に二、三言上したいことがあると願いでた。奴隷たちは退けられた。

「頌歌はできあがらなかったのか」と王は訊《たず》ねた。

「いいえ、たしかにできました」と悲し気に詩人は答えた。「いっそ、主キリストがそれを禁じたまえばよかったものを」

「くり返すことができるか？」

「そちに欠けている勇気を予が与えよう」と王は言った。

「よう致しませぬ」

　詩人はその詩を誦《しょう》した。たった一行であった。

　声高く口にのぼせる勇気もないまま、詩人と王とは、あたかも秘密の祈りか冒瀆の言葉であるかのように、ひそかにそれを味わった。王も、詩人に劣らず驚異にうたれ、畏《い》怖《ふ》していた。ふたりはひどく青ざめて、互いの顔を見交した。

「若い頃《ころ》」と王は言う。「予は落日に向かって航海した。ある島で、銀色の猟犬が、金色の猪《いのしし》を殺すのを見た。ある島では、魔法の林檎《りんご》の芳香で身を養った。ある島では、火の壁を見た。すべてのものから最も遠いところには、ドーム状に弧をえがいて中天にかかる一筋の川が空に溝を刻み、その水に魚や舟がかつ浮かびかつ泳いでいた。こうしたものはなるほど驚異ではあるが、そちの詩には比ぶべくもない。この詩句は、いわば、あれらすべてのものを包含している。いかなる妖術がこれをそちに与えたのか」

「夜の引きあけに」と詩人は語った。「最初自分にも分らぬ言葉を口にしながら目ざめました。それらの言葉は一篇《いっぺん》の詩でございました。私は罪を犯したかのように感じました。恐らく、聖霊の許したまわぬ罪を」

「その罪を、今こそ予もそちと分かち合おう」と王は囁《ささや》いた。「美を知ってしまったという罪、それは人間には禁断の恵みなのじゃ。今われらはその罪を贖《あがな》わねばならぬ。予はすでに鏡と黄金の仮面を汝《なんじ》に与えた。さて、ここに、第三にして、最後をかざる贈り物がある」

王は、詩人の右手に一振りの短剣をおいた。

詩人は、宮殿を退出するや、すぐさまみずから命を絶ったと伝えられる。王は王で、一介の乞食《こじき》となり、かつて彼の王国だったアイルランドを、道から道へとさまよい、二度とふたたび、あの詩篇をくり返すことはなかった、ということが知られるのみである。

ウンドル

以下の文章は、ブレーメンのアダム（御承知のごとく、彼は十一世紀に生れそして死んだ）の『抄録《リベルス》』（一六一五）の中に探されても無駄であることを、読者諸賢に予《あらかじ》め通告しておかねばならないだろう。ラッペンベルク（一七九四―一八六五。ドイツの歴史家。ブレーメンのアダムその他の古文書からゲルマン史を編む）が、オックスフォード大学のボドリアン図書館の写本の中にこれを発見し、枝葉末節に富むところから、後世の加筆と断定しながらも、奇談として、彼の『ゲルマニア精髄《アナレクタ・ゲルマニカ》』（ライプチヒ、一八九四）に入れて公刊した。アルゼンチンの一好事家《こうずか》の意見などは、大した意味をもつものではない。読者はおのがじし、好みの判断を下されればよろしい。わたしのスペイン語訳は、信ずるに足るものとはいえ、逐語訳ではない。

ブレーメンのアダムの記すところは以下のごとくである。

《……入り海の対岸にひろがる荒野に接して、野生の馬を産する土地のはるか彼方《かなた》に住む民族のなかで、最も注目に値するものはウルン族である。商人らの不確かな情報、あるいは作り話やら、道中の危険、さらに遊牧民の略奪のために、わたしはかの地方に達することができなかった。しかしながら、彼らの辺鄙《へんぴ》な仮の村落が、ヴィストゥラ川（ポーランド最大の川、現ヴィスワ川）沿いの低地にあることは明らかである。スウェーデン人とは異なり、ウルン人は、純正なイエスの信仰を奉ずる。アリアニズム（キリストの神性を否認したアリウス〈二五〇？—三三六〉派の教義）にも、また、イングランドその他《ほか》の北国の諸王家の血筋がその源を発するところの、血ぬられた悪魔信仰にも汚されていない。彼らは牧者、船頭、呪術師《じゆじゆつし》、刀鍛冶《かじ》、甲冑《かつちゆう》職人である。きびしい戦闘のために、ほとんど土を耕すことはない。草原と、そこを移動する種族とが、彼らを馬術と弓術の上手にしたてた。人は常にその敵に似るものなのである。彼らは歩兵ではなく騎兵であるからして、その槍《やり》は、われらのものよりも長い。

推察のとおり、彼らは鵞《が》ペンやインク入れの角や羊皮紙の使い方は知らない。彼らは石に文字を刻む。ちょうど、オーディン（北欧神話最高神の一。ウォータン）が九日九晩とねりこの木に宙吊《ちゆうづ》りになった——オーディンに捧《ささ》げられた犠牲のオーディン（この後オーディンはルーン文字の魔力によって復活する）——あとで伝えてくれたルーン文字（古代北欧文字）を、われらの祖先が刻んだように。

これらの一般的な情報のほかに、わたしがアイスランド人ウルフ・シーグルザルソンとの対話から得た話をつけ加えよう。彼は荘重、かつ慎重に言葉をえらぶ人物である。わたしたちはウプサラの寺院の近くで会った。薪《まき》の火はすでに消えていた。壁の凹凸の亀裂《きれつ》から、寒気と曙光《しょこう》が侵入していた。戸外では、三神への犠牲に供えた異教徒の肉をむさぼり食った灰色の狼《おおかみ》たちが、用心深い足跡を雪のうえに残していた。わたしら二人は、聖職者の常で、先《ま》ずラテン語で会話をはじめたが、ほどなく、北方の言葉に移ってしまった。この言葉は、極北テューレ（グリーンランド北西岸の集落）から、アジアの諸市場にいたるまで流布している。その人は語った。

「わたしはスカルド（古代スカンジナビアの吟遊詩人）の血筋の者だ。そこで、ウルン族の詩がたったひとつの言葉でできている事実を知っただけで、もうウルン族と、その土地に到《いた》るべき道を探《たず》ねて出発する気になった。ひと方ならぬ苦難と疲労をのりこえて、一年後にようやくそこにたどり着いた。ちょうど夜だった。道でゆきあう人々は、もの珍しげにわたしを見、礫《つぶて》がひとつ、ふたつ投げつけられた。鍛冶屋の光が見えたので、はいって行った。

鍛冶屋はわたしに一夜の宿をかしてくれた。オルムという名だった。彼の言葉は、ほぼわたしらの言葉と同じだった。少しばかり話をした。彼の口から、はじめて、グンロイグという王の名前を耳にした。この前の戦いが終ってからというもの、彼はよそ者を猜疑《さいぎ》の眼《め》で眺め、磔刑《たっけい》にするのが習慣になっていることも聞かされた。人間よりは神にこそ似つかわしいその運命を逃れるため、わたしは、王の勝利と名声と仁慈をほめ讃《たた》える頌歌《ドラーパ》を書くことにとりかかった。それを暗記する間もなく、二人の男がわたしを探しにきた。わたしの剣をむざむざ彼らに渡したくはなかったけれども、仕方なく引ったてられて行った。

曙光のなかに、まだ星がまたたいていた。四方に掘っ建て小屋のたっている空地を横切った。以前ピラミッドの話は聞いていた。しかし、最初の広場で見たものは、黄色の木の柱だった。その先に、黒い魚の形が認められた。わたしについてきたオルムが、あの魚が**御言葉**だと言った。次の広場では、円盤のついた赤い柱を見た。オルムは、あれが**御言葉**だと、また言う。わたしはその意味を教えてくれと頼んだが、自分は単純な職人なので、わからない、ということだった。

三番目の、それが最後の広場には、黒くぬった柱があり、ある形がついていたが忘れてしまった。突き当りに、長く真直《まっすぐ》な壁があって、その端は見えなかった。あとになって、それは丸い泥の屋根で、中仕切りはなく、町全体をぐるりと囲んでいることが分った。杭《くい》につながれている馬は、丈が低く、長い鬣《たてがみ》がふさふさしていた。鍛冶屋は中にはいることを許されなかった。なかには、武装した男たちがいて、みな立っていた。王グンロイグは病気で、壇のようなものに駱駝《らくだ》の皮を敷き、半ば目を閉じて横たわっていた。彼はやつれて黄ばんだ男で、神聖な、しかし忘れられかけた者だった。長い古傷が、胸を横切っていた。兵士のひとりが、わたしのために道をあけた。だれかが竪琴《たてごと》を持ちこんでいた。ひざまずいて、わたしは低い声で頌歌をうたいだした。言葉のあや、畳韻、抑揚、およその形式が必要とするものは、なにひとつ欠かさなかった。王がそれを理解したかどうかはわからないが、彼はわたしに銀の指輪をくれ、それは今もわたしの手もとにある。枕《まくら》の下に、短刀の刃《やいば》がちらと見えた。彼の右側には、百のます目に一握りの駒《こま》のちらかったチェス盤があった。

衛兵がわたしを奥の方へ押しやった。ひとりの男がわたしと入れかわったが、立ったままだった。彼は調律するように絃《げん》をかきならして、低い声で、わたしがそれまで探求しつつも到達し得なかった言葉を発した。だれかが畏敬《いけい》をこめて言った。「もう、それはなにも語ろうとはしない」

わたしはいささかの涙を見た。その男は声をはり上げたり和らげたりしたが、ほとんど変化せぬその和音には、単調、いや無限の響きがあった。わたしは、できることならその唱《うた》が永遠につづき、わたしの一生となることを願った。だが、突如、その響きは消えた。あきらかに疲労困憊《こんぱい》した唱い手が床に竪琴を投げだしたとき、わたしはその物音を耳にした。われわれはばらばらに出て行った。わたしは最後まで残ったひとりだった。夕映えが薄れつつあるのを見て、おどろいた。

数歩歩いた。肩におかれた手が、わたしを引きとめた。

「王の指輪はそなたの護符だった。だが、**御言葉**を聞いてしまったからには、そなたの命は長くはない。このわし、ビヤルニ・ソルケルスソンが助けて進ぜよう。わしはスカルドの血筋の者だ。讃歌《さんか》のなかで、そなたは血を剣の水に、合戦を人間の織物になぞらえたな。わしはそのような修辞を、父の父から聞いた覚えがある。そなたとわしとは詩人同士だ。だから助けて進ぜる。今日では、わしらは唱を刺戟《しげき》する物事をひとつひとつ描くことはしない。御言葉というただひとつの言葉に要約するのだ」

わたしは答えた。

「実は聞き洩《も》らしてしまいました。それはなにか、どうぞ教えて下さい」

彼はしばらくためらってから答えた。

「わしは、それを明かさぬことを誓ったのだ。そのうえ、だれひとり、なにひとつ教えることはできぬ。みずから発見せねばならぬ。急ごう。そなたの命が危ない。わしの家にかくまおう。そこならば、だれもあえて探しはすまい。もし風向きが幸いすれば、明日、川を南へ下るのだ」

こうして、幾冬にもわたる冒険の幕があいた。ここで、わたしの身にふりかかった事柄の次第を物語る気もなければ、その変転をすっかり順序だてて思いだしてみる気もない。船頭、奴隷商人、奴隷、樵夫《きこり》、隊商の追いはぎ、唱い手、地下水や金属の目利き、わたしは、手当り次第に、なんでもやった。捕われて一年間、歯をがたがたにする水銀の鉱山で働いたこともある。バラング人（スカンジナビアの漂泊民族）近衛兵《このえへい》として、ミクリガルズル（コンスタンチノープル）防衛に、スウェーデン人と一緒に戦ったこともある。アゾフ海の岸辺で、いまも忘れがたい女に愛されもした。わたしが彼女を捨てたのか、彼女がわたしを捨てたのか、それはどちらでも同じことだ。裏切られ、裏切ったのだ。運命がわたしを危うく殺しかけたことも一度や二度ではない。ギリシアの兵士が決闘を挑み、二つの剣のどちらかをえらべと迫った。相手はおどすつもりだと分ったので、短い方をえらんだ。向こうはなぜかと訊《たず》ねた。わたしの拳《こぶし》から相手の心臓まで、距離は同じことだと答えた。黒海のほとりには、わたしが戦友レイフ・アルナルソンのために彫ったルーン文字の墓碑銘がある。セルクランドの「青い人」、つまりサラセン人とも戦った。時の流れのままに、わたしは多くの者になった。だが、こういったつむじ風も、ひとつの長い夢にすぎぬ。そして、つねに変らぬ本質は**御言葉**なのだ。あるときは、わたしもそれを疑った。美しい言葉を組み合わせるという美しい戯れを放棄するのはばかばかしいことだ、唯一の言葉、おそらくは幻の言葉でしかないものを探すいわれなどありはしないと、わたしは、くりかえし自分に言いきかせたものだ。だが、こうした理屈も空《むな》しかった。ある伝道師が、「神」という言葉を示してくれたが、わたしは退けた。ある暁方、海に注ぐ、ひろやかな河の岸辺で、わたしは啓示を受けたと信じた。

ウルン人の土地に戻ると、わたしは苦労してあの唱い手の家をみつけた。なかにはいって名を告げた。すでに夜になっていた。床から、ソルケルスソンは、青銅の燭台《しょくだい》の蠟燭《ろうそく》をともしてくれと言った。彼の顔はあまりに老けこんでいたので、わたし自身も、いまや、もう年をとったのだと思わずにはいられなかった。慣例にならって、王のことを訊ねた。彼は答えた。

「王はもはやグンロイグという名ではない。いまは別の名だ。お前の旅のことを物語ってくれ」

　わたしは、順を追って、こと細かに話したのだが、それは省こう。話し終るまえに、彼がきいた。

「そういう土地で、何度も唱ったのか？」

　その質問に、わたしは不意をつかれた。

「はじめは、日々の糧を得るために唱いました」とわたしは言った。「その後、なにかわけのわからない恐れに駆られて、唱からも、竪琴からもはなれました」

「よろしい」と彼はうなずいた。「話をつづけたまえ」

　わたしは命令に従った。そのあとで、不意に長い沈黙がやってきた。

「お前の最初の女は、なにをくれた？」と彼はきいた。

「なにもかも」と答える。

「わしにも、人生はすべてをくれた。生はすべての者にすべてを与える。だが、多くの者がそれに気づかぬ。わしの声は疲れ、わしの指はもはや力をもたぬ。まあ、よくきけ」

彼は「ウンドル」という言葉を発した。それは「驚異《ワンダー》」の意である。わたしは、まさに死に瀕《ひん》している男の唱に魂を奪われるように感じたが、彼の唱、彼の和音のなかに、わたし自身の詩、最初の愛をわたしに与えてくれた奴隷の女、殺した男たち、夜明けの冷気、水の上の曙《あけぼの》、櫂《かい》を認めた。わたしは竪琴を取り上げると、別の言葉で唱った。

「よろしい」と相手は言い、わたしは彼の言葉をきくために、にじり寄らねばならなかった。「分ったんだな」》

疲れた男のユートピア

彼はそれを「ユートピア」と名づけた。「そんな場所は存在しない」
という意味のギリシア語である。

ケベード

二つの丘が似かようことはありえないが、この地上のどんな場所でも、平原というものはまったく同じである。わたしは平原の道を進んでいた。さしたる関心ももたぬまま、ここはオクラホマかテキサスか、あるいは、文人がパンパと呼ぶアルゼンチンの地方なのか、と自問していた。右にも左にも、境界は見えなかった。こうしたときの常で、エミリオ・オリーベ（ウルグワイの二十世紀詩人）の詩を、ゆっくりとくり返した。

果てしなく恐ろしい大平原の真《ま》っ只中《ただなか》
ブラジルとの境に近いところで、

それは次第に高鳴り、ひろがってゆく。

道は平坦《へいたん》ではなかった。雨が落ちはじめた。二、三百メートルさきに、一軒のあかりが見える。その家は低く四角で、木々に囲まれていた。戸口をあけてくれたのは、ひどく背が高くて、恐ろしいほどの男である。グレイの服を着ている。だれかを待っているようだった。戸口には錠がおりていなかった。

木の壁の細長い部屋に通された。天井からは、黄ばんだ光を放つランプが下がっていた。テーブルは、ある理由でわたしには珍しかった。テーブルの上に水時計があったが、鋼版《こうはん》画かなにか以外には、はじめて目にするものばかりだった。男は手で椅子《いす》のひとつをすすめた。

わたしはさまざまな言語を試みたが、通じなかった。彼が話しだした時は、ラテン語を用いた。わたしは、はるか昔の学生時代の記憶をかき集めて、対話にそなえた。

「御召《おめ》しになっているものから見て」と彼は言った。「別の世紀からこられたようですな。言語の多様性は、民族はもちろん、戦争の多様性さえ助長します。それゆえ、世界はラテン語にもどったのです。やがてまた、フランス語、リムーザン語（南仏の古語オック語の一方言）、パピヤメント語（西インド諸島キュラソー島の言語）などに転訛《てんか》することを憂える向きもありますが、当面はその危険もありません。なにはともあれ、過去も未来も、わたしには関心の外です」

こちらが黙っていると、彼はつけ加えた。

「もし、他人の食べるところを見るのがおいやでなかったら、一緒に召し上りませんか？」

　彼がわたしの不安に気づいているのが分ったので、承諾した。

　側面にドアのならんだ廊下を通って、内部がすべて金属製の小さな台所へ出た。われわれは、盆に食事をのせて戻る。コーンフレークスの碗《わん》、一房の葡萄《ぶどう》、なんだか知らないがその匂《にお》いが無花果《いちじく》を思わせる果実、大きな水さし。たしかパンはなかった。主人の容貌《ようぼう》は鋭く、眼《め》には一種独特の気配があった。二度と見るはずのない、あの厳しく蒼白《そうはく》な面ざしを忘れることはあるまい。話すとき、彼は身ぶりをまじえなかった。

　ラテン語でしゃべるという義務感にしばられながらも、とうとう、わたしは彼にきいてみた。

「突然お邪魔してびっくりされませんでしたか？」

「いや」と答える。「世紀を越えるこうした訪問も、ままま、ありますからね。ただし長続きはしません。遅くとも明日には、あなたの家に帰られるでしょう」

　彼の声のきっぱりした調子に、わたしは安心した。自己紹介をすべきだろうと判断した。

「エウドーロ・アセベードです。一八九七年、ブエノスアイレス市の生れ、七十になります。英米文学の教授で、幻想譚《たん》の作家です」

「幻想譚は二つばかり読んで、まあまあ面白かったことを覚えてますよ」と彼は答えた。

「多くの人が事実と考えている『レミュエル・ガリヴァー船長旅行記』と『神学大全《スンマ・テオロギア》』の二冊です。しかし、事実を話すことはやめましょう。事実は、もはや、だれにとっても問題にはなりません。そんなものは、発明と推理への、たんなる出発点に過ぎません。われわれは、学校で、懐疑と忘却術を教えられる。とりわけ、個人的、ならびに地方的なものを忘れる術です。われわれは、連続的な時間のなかに生きています。しかし、永遠の相の下に生きようとしているのです。過去については、まだいくつかの名前が残っているが、言語はそれを失いかけている。われわれは無用の細部を回避します。年代も歴史もない。統計もありません。あなたはエウドーロという名だとおっしゃいましたね。ところが、わたしの方は、名乗ることができないのです。なにしろ、ある者と呼ばれているんですから」

「では、父上のお名前は？」

「名はありませんでした」

壁の一面に本棚が見えた。手当り次第に一冊を開いてみた。鮮明だが解読できぬ文字で、手書きだった。その角ばった線は、ルーン文字のアルファベットを思わせたが、ルーン文字は、碑銘にのみ用いられたものだ。この未来人たちは、われわれより背が高いだけでなく、器用だなと思った。本能的に、わたしはその男の長く華奢《きゃしゃ》な指を見た。

「ではこれから、あなたがかつて見たことのないものを見せてあげましょう」と彼は言った。

用心深く、彼はトマス・モアの『ユートピア』の一冊を手渡した。一五一八年バーゼルの版で、ところどころページが脱落している。

わたしは、いささか間抜けた話だが、こう答えた。

「これは印刷本ですね。家には二千冊以上あります。これほど古くも貴重でもありませんが」

そして、標題を読み上げた。

相手は笑った。

「二千冊もの本を読める者はいません。わたしも、今まで生きてきた四世紀のあいだに、半ダースの本も読んではいません。それに、大事なのは、ただ読むことではなく、くり返し読むことです。今はもうなくなったが、印刷は、人間の最大の悪のひとつでした。なぜなら、それは、いりもしない本をどんどん増やし、あげくのはてに、目をくらませるだけだからです」

「わたしのおかしな過去には」とわたしは言った。「毎日、夕方から朝にかけて事が起こり、それを知らないでいるのは恥だ、という迷信がはびこっていました。地球には、妖怪《ようかい》集団が住んでいた。カナダ、ブラジル、スイス領コンゴ、それにヨーロッパ経済共同体。ほとんどだれもが、これらの観念的実体の前史を知らないくせに、やれ、最近の教育者会議の末端の細目とか、さし迫った外交関係の断絶とか、秘書官の秘書官が、そのジャンルにふさわしい周到な曖昧《あいまい》さで練り上げた大統領布告とかとなると、みな、実によく知っていたのです。

こういうものは、すべて、忘れるために読まれるのです。なぜなら、いずれも、まもなく、別の些事《さじ》がそれをかき消してしまうものですから。あらゆる職務のなかで、政治家のそれが、だれの目にも、もっとも公的なものでした。大使とか大臣は一種の身障者で、オートバイ護衛兵に囲まれ、熱心な写真屋どもに待ちかまえられながら、長いけたたましい車の列によって運ばれなければならなかった。まるで足を切られたみたいね、と母がよく言ったものです。画《え》や活字の方が、それらが写しだす物よりもリアルでしたね。発表されたものだけが真実だった。『存在スルトハ、認識サレルコト《エッセ・エスト・ペルシピ》』つまり、『存在することは、写真にとられることだ』というのが、われわれ独特の世界認識の、はじめであり、真中であり、終りだった。わたしの過去においては、民衆は純真だった。しかじかの商品は、当の製造元がよいとくり返し主張するからよいのだ、と信じていた。盗みも多かった。そのくせ、金を持ったからとて、幸福も心の平安も増すわけではないことは、だれでも承知していたのです」

「金ですって？」と彼はくり返した。「今はもう、貧乏に苦しむ者はありません。むかしはさぞ堪えがたかったでしょうがね。また、俗悪の最も不快な形だったにちがいない富の方にも、わずらわされることはありません。今は、各自が、それぞれ、自分の職能を行なっているのです」

「ラビのようにですね」とわたしは言った。

彼は分らないまま、話をつづけた。

「都市もありません。わたし自身も興味をもって探査したバイア・ブランカ（ブエノスアイレス南西、ブランカ湾にのぞむ都市）の廃墟《はいきょ》から察するに、大して多くのものが失われたわけではない。現在、私有財産も、相続もありません。人間は百歳まで成熟すると、自分自身、及び自分の孤独と直面する用意ができるのですよ。それまでには、息子をひとりつくっているでしょう」

「ひとりの息子？」とわたしは問い返した。

「ええ、たったひとりです。人類を保護育成するなどは不都合ですから。人間とは、宇宙を意識するための、神のひとつの器官だと考える人もいますが、第一、そんな神が実在するのかどうか、だれにも確信はもてませんからね。現在、世界中のあらゆる人間が、順次に、あるいは一挙に、自殺することの是非が、たしか論議の最中だと思います。まあしかし、本題に戻りましょう」

わたしも賛成した。

「百歳になると、人間はもう、愛だの友情だのをなしですますことができます。悪や、不本意な死も、もうこわくない。芸術、哲学、数学のどれかを実践したり、チェスのひとり勝負をしたりする。自殺したければしてもいい。人間はおのれの生の主人であり、また、おのれの死の主人にもなります」

「それはなにかの引用ですか?」とわたしは訊《たず》ねた。

「たしかに。もはや、われわれには引用しかないのです。言語とは、引用のシステムにほかなりません」

「で、わたしの時代の大冒険、宇宙旅行は?」とわたしが言った。

「そういった旅行は、もう何世紀も前にとりやめられました。それはたしかにすばらしいものでした。しかし、われわれは、決して、『ここ』と『いま』とから逃れることはできませんからね」

微笑をうかべながら、彼はこうつけ加えた。

「それに、どんな旅行でも宇宙的です。一つの天体から別の天体へ行くのは、向かいの農場へ行くようなものだ。この部屋に入ってこられたとき、あなたは、ひとつの宇宙旅行を成し遂げたのですよ」

「そうです」とわたしは答えた。「それに、化学物質や動物についても、われわれは、よく話したものですが」

その男は、今はわたしに背を向けて、窓外を眺めていた。外には、無言の雪と月光のせいで、平原が白々とひろがっていた。

　わたしは勇を鼓してたずねた。

「博物館や図書館はまだありますか？」

「いや。われわれは過去を忘れたいのです。悲歌《エレジー》の作品は例外ですが。死者に対する記念も百年祭も肖像も、いまはありません。各自が、自分の責任で、必要な科学なり、芸術をつくらねばならないのです」

「それならば、各自が、自分自身のバーナード・ショーに、イエス・キリストに、アルキメデスにならねばならないのですね」

　彼は無言でうなずいた。わたしは訊ねた。

「政府はどうなりました？」

「言い伝えによれば、次第にすたれました。政府は、選挙を公示し、宣戦し、税金を徴収し、財産を没収し、逮捕を命令し、検閲を課そうとねらいましたが、地球上のだれひとり、従おうとしなかった。新聞は記事や写真を発表するのをやめてしまいましたし、政治家たちは、清廉な職業を見つけなければならなくなりました。ある者はりっぱな喜劇役者になったし、ある者は、みごとなイカサマ医者になりました。もっとも、現実は、こんな要約よりは、たしかにずっと複雑だったでしょうがね」

　ここで、語調を変えて彼は言った。

「わたしはこの家を建てました。これは、あらゆる他《ほか》の家と同じです。これらの家具、道具も細工しました。畑で働きました。その畑は、わたしが顔も知らない他人が、わたし以上に改良するでしょう。あなたにいくつかの物をお見せできますよ」

彼のあとについて、わたしは隣の部屋に行った。彼は、これも天井から下がっているランプに火をともした。一隅に、わずかな絃《げん》を張った竪琴《たてごと》を見つけた。壁には、黄色のトーンの勝った、いくつかの四角いキャンバスがあった。それらは、同じ手になる製作とは見えなかった。

「これがわたしの作品です」と彼が言った。

わたしはそれらのキャンバスを注視し、一番小さいもののまえで、立ちどまった。それは、落日を表現、いや、暗示しており、なにか無限のものを包蔵していた。

「もしお気に召したら、未来の友人の記念に持って行ってもいいですよ」と、彼はごく当りまえの口調で言った。

わたしは礼をのべた。しかし、別のキャンバスが心にひっかかった。空白とはいえないが、空白に近いものだった。

「あなたの昔の目には見えない色で描いた画ですよ」

繊細な手が、竪琴の絃をかきならしたが、とぎれとぎれの音しか聞きとれなかった。

折しも、扉にノックの音がきこえた。

ひとりの背の高い女と、三、四人の男が家にはいってきた。兄弟ともいえるし、時間が彼らを似させたともいえるだろう。その家の主人は、先《ま》ず女に話しかけた。

「今夜はきっとくると思っていたよ。ニルスに会ったかい？」

「ときどきね。相変らず画に没頭してるわ」

「おやじよりうまくゆくといいね」

草稿、画、家具、道具。われわれはすべてを取り払った。女も男たちと一緒に働いた。わたしは、ほとんど彼らの助けにもなれない自分のか弱さを恥じた。だれも戸口を閉めず、われわれは荷物を背負って出かけた。わたしは、その屋根が切妻屋根だったことに気づいた。

十五分ばかり歩くと、左へ折れた。彼方《かなた》に、丸屋根のある、一種の塔を認めた。

「火葬場です」と、だれかが言った。「あのなかにはガス室があります。なんでも、アードルフ・ヒトラーとかいう名の博愛主義者が発明したんだそうですよ」

管理人の高い背丈に、わたしもおどろかなかったが、彼が柵《さく》をあけてくれた。わたしの主人は、彼と二言三言、小声で話をした。構内にはいるまえに、彼は別れの手をふった。

「雪はまだ降りそうね」と女が言った。

ブエノスアイレスのメキシコ街の書斎に、わたしはキャンバスを持っている。幾千年ののち、今日地球上にちらばっている素材を用いて、それに、だれかが画をかくだろうか。

贈賄

ここに物語るのは、二人の男の話、いや、二人の男をまきこんだ、ひとつのエピソードというべきものである。事件そのものは、格別変ったことでも、けた外れなことでもなく、その主人公たちの性格ほどにも際立ってはいない。二人とも、虚栄心から罪をおかした。ただし、その方法はかなり異なり、また、異なる結末におちついたのだが。その逸話（実際、それ以上のものではない）は、ごく最近、アメリカ合衆国のある州で起こった。ほかの場所では起こりえなかった事件だろうと、わたしには思える。

一九六一年の末頃《ごろ》、わたしはオースティンのテキサス大学で、当事者のひとり、エズラ・ウィンスロップ博士と懇談する機会をもった。彼は古英語の教授だった（彼は「アングロサクソン語」という言い方を認めなかった。それでは、二つの部分の寄せ集めを暗示することになるというのだ）。ただの一度も反論することなく、彼がわたしの多くの誤りや、無鉄砲な推論を正してくれたのを、いまも思いだす。試験のとき、彼は一題も設問せず、問題選択を学生にゆだねて、あれこれのテーマについて論述するように仕向ける、という噂《うわさ》だった。古いピューリタンの家柄で、ボストン生れの彼が南部の習慣や偏見に馴《な》れるのは大変なことだった。雪を恋しがっていたが、わたしの見たところ、北部の人間は、われわれが暑さに対するように、寒さに対して強いようだ。今はうすれたとはいえ、かなり背の高い、白髪の、敏捷《びんしょう》というよりは強壮な男の面影が、まだ、わたしの瞼《まぶた》に残っている。彼の同僚ハーバート・ロックの記憶は、より鮮明だ。彼は『ケニング（代称。一つの名詞を複合語または語群で婉曲に表現する法。古代ゲルマン語の一特徴）の歴史のために』という著作を一部くれたが、それには、サクソン族が、あの、あまりにも機械的な比喩《ひゆ》（「海」のかわりに「鯨の道」といい、「鷲《わし》」のかわりに「戦いの鷹《たか》」というような）の使用を間もなくやめたのに対し、スカンジナビアの詩人たちは、それらを、分かちがたいまでに組み合わせ、編みあげていったことが論じられていた。ここにハーバート・ロックの名をあげたのは、彼がこの物語に不可欠な人物だからである。

さてようやく、アイスランド人エーリック・エイナルソンまでたどりついた。彼こそおそらく、本当の主人公である。わたしは彼に会ったことは一度もない。彼が一九六九年にテキサスに着いたときには、わたしはケンブリッジ（マサチューセッツ州。ハーヴァード大学所在地）にいた。しかし、共通の友人、ラモン・マルチネス・ロペスの手紙によって、彼を親しく知っているような気になっていた。わたしは、彼がせっかちで、精力的、かつ、冷たい性格であることを知っていたし、また、一体に背の高い土地でもとりわけ長身であることも知っていた。彼の真赤な髪を見た学生たちが、すぐさま「赤毛のエーリック」と仇名《あだな》をつけたのは、ごく当りまえのことだった。彼は、外国人がスラングを使うと、わざとらしく、また、間違いが起こりやすいから、厚かましい印象を与えるだけだという意見で、「O・K」さえ使おうとはしなかった。北欧語、英語、ラテン語、それに――彼は認めたがるまいが――ドイツ語のりっぱな研究者だったから、アメリカの大学で活路を開くのは、造作もないことだった。彼の最初の労作は、ウェストモーランド（イングランド北西部）の湖水地方の方言に及ぼしたデンマーク語の影響について書かれた、ド・クインシーの四つの論文の研究だった。つづいて、ヨークシャの片田舎の一方言についての第二論文がでた。両方とも評判はよかったが、エイナルソン自身は、自分の経歴に、なにか目ざましい業績が必要だと考えた。一九七〇年、彼はイエール大学から、譚詩《たんし》『モールドンの戦い（九九一。エセックス軍がデーン人と戦って敗れた）』の、くわしい評釈本を出版した。その注釈の学識については異論の余地はなかった。だが、序文に述べられた仮説のあるものは、秘密結社といってもよい学界に、いささかの物議をかもした。たとえば、この譚詩の文体は、たとえかすかにもせよ、『フィンズブルフ』の英雄詩断片に似かよっており、『ベーオウルフ』の荘重な修辞には似ていないこと、また、感動的な情況描写の筆致は、われわれが『アイスランド・サガ』のなかで賞讃《しょうさん》をはばからない手法を、奇妙にも先取りしているなどと、エイナルソンは主張するのである。同時に、エルフィンストン版のさまざまな解釈を修正してもいた。彼は、早くも一九六九年には、テキサス大学の正教授に任じられていた。周知のとおり、アメリカの大学では、ゲルマン語学者の学会が定期的に開かれる。ウィンスロップ博士も、順番で、前回のミシガン州のイースト・ランシングの会議に出席した。学部長は、休暇《サバティカル》の年をひかえていたので、ウィスコンシンで行なわれる次回の会議に送る出席者の選択を、彼に一任した。しかし実際のところ、候補は二人以外にはなかった。ハーバート・ロックとエーリック・エイナルソンの二人である。

ウィンスロップは、カーライルのように、先祖伝来のピューリタン的信仰は揚棄していたが、その倫理感までは棄《す》てていなかった。いまだかつて助言を与えるのを拒んだことのない、彼のなすべきことはあきらかだった。ハーバート・ロックは、一九五四年以来、『ベーオウルフ』のある注釈本の仕事で彼に助力を惜しまず、その本は、すでに名ある研究機関では、クレーベルのそれにとって代っていた。またいま、彼はゲルマニストにとって非常に有用な本を編集しつつあった。すなわち、英語＝アングロサクソン語の辞書で、これを使えば、無益に終ることの多い語源辞典に当る手間を、大いに省いてくれるだろう。エイナルソンの方はまだまだ若く、その尊大さから大方の反感を買っており、ウィンスロップも例外ではなかった。だが、エイナルソンの『フィンズブルフ』

の論考は、彼の名声をひろめるのに、少なからず役立っていた。彼はまた論争好きで、会議のときなどには、内気で黙りがちなロックよりも、ずっと際立つはずである。ウィンスロップがとかく思い迷っている折もおりに、事が起こった。

イエール大学刊行の雑誌に、大学におけるアングロサクソン文学及び語学の教授法についての、長い論文がのったのである。最終ページの下に、見えすいたE・Eの頭文字が読まれ、しかも、いかなる疑いをも遠ざけるためかのように、テキサス大学の名がついていた。その論文は、外国人流の正確な英語で書かれているが、いささかの遠慮会釈もなく、ある種の暴論をも内包していた。すなわち、古代の作品にはちがいないが、ウエルギリウス亜流のレトリカルな文体をもつ『ベーオウルフ』をもってアングロサクソン語研究をはじめるのは、英語入門に手のこんだミルトンの詩を使うにひとしく無茶である、と論じていたのである。そして、筆者は、年代順を逆にすることを奨《すす》めている。日常語を反映している十一世紀の詩「墓」からはじめて、順次に源泉までさかのぼるべきだという。『ベーオウルフ』については、三千行にのぼる退屈な全体から抜粋したなにがしかの断片でこと足りるとする。たとえば、海からきて海にもどったシュルドの葬送の儀式である。そこには、ウィンスロップの名は一度としてあげられていないが、彼は執拗《しつよう》な攻撃を感ぜずにはいられなかった。とはいえ、彼には、このことよりもむしろ、自分の教授法を論難されたことの方が重大であった。

余すところ数日しかなかった。ウィンスロップは、公正を期したいと願っていたので、すでに広く読まれ論じられているエイナルソンの論文に、みずからの決定を左右されることを許せなかった。このことは、彼を少なからず悩ました。ある朝、ウィンスロップは上司と会談し、その日の午後、エイナルソンはウィスコンシンへの出張を正式に委嘱された。

出発の三月十九日の前夜、エイナルソンは、エズラ・ウィンスロップの部屋にあらわれた。出発の挨拶《あいさつ》と謝意を表するためだった。窓のひとつは、並木のある傾斜した街路に面しており、書架がふたりをとり囲んでいた。エイナルソンは、すぐさま、羊皮紙装の『アイスランド・エッダ』の初版本に目をとめた。ウィンスロップは、君が任務を立派に果たすことはよく分っており、自分に感謝することはなにもないのだと答えた。ふたりの話し合いは、わたしのまちがいでなければ、長くかかった。

「率直に話しましょう」とエイナルソンは言った。「われわれの上司、リー・ローゼンソール博士が、代表の名誉をぼくに与えてくれたのは、あなたの口ぞえによるのだということは、大学でだれひとり知らぬ者はありません。彼の期待を裏切らぬよう努力するつもりです。ぼくは優秀なゲルマニストです。子供の頃の言葉は、『サガ』の言葉だったし、アングロサクソン語の発音に関しては、英国人の同僚よりも上手です。ぼくの学生は〈カンニング〉ではなく〈キュニング〉と言います。彼らはまた、授業中煙草《タバコ》が厳禁であることも、ヒッピーのようななりで出席してはならないことも、よくわきまえています。ぼくの気の毒なライバルについてぼくが批判するのは、ひどい悪趣味になるでしょうが、〈ケニング〉について、彼は源泉の研究ばかりか、マイスナーやマークウアートの適切な仕事も研究したあとを示していますね。まあ、こんな下らないことはやめておきましょう。ウィンスロップ博士、ぼくはあなたに、個人的な釈明をしなければならないのです。ぼくは一九六七年の暮に故国を出ました。遠い国に移住しようと決心した人間は、究極的にその国でうまくやって行く義務を自らに課さねばなりません。ぼくが最初に書いた、厳密に言語学的な性質のふたつの論文は、ぼくの能力を証明すること以外に目的はなかったのです。あれでは、あきらかに不十分でした。ぼくは、以前からずっと『モールドンの戦い』に興味をもっていて、あちこち抜けることはあるにしても、暗誦《あんしょう》することもできます。イエール大学から、ぼくの評釈版を出してもらうまでに漕《こ》ぎつけました。あの譚詩は、御存じのように、スカンジナビア側の勝利を記しています。しかし、それがその後のアイスランド・サガに影響を与えているという意見に関しては、ぼくは承認できないし、ばかげていると思っています。ぼくは、英語読者に媚《こ》びるために、そうほのめかしただけなのです。

さて、核心に迫りました。『イエール・マンスリー』にのった問題の論文です。あなたもお気づきのように、あれはぼくのシステムを正当化する、いや、正当化しようと試みるものなのです。しかし、あなたのシステムの不都合な点は、わざと誇張しています。つまり、こみ入った物語を語る延々三千行の複雑な詩句の退屈さを学生に課するのと引きかえに、アングロサクソン文学の総体を味読できるほどの豊富な語彙《ごい》を与えてくれるシステムです。ただし、学生がそれまでに放棄してしまわなければの話ですがね。ウィスコンシンへ行くことが、ぼくの本当の狙《ねら》いでした。あなたもぼくも、学会というものがばかげていて、しかも無駄金をくうこと、しかし、キャリアーには役に立つことは、おたがいよく分っていますよね」

ウィンスロップはおどろいて彼を見た。彼はインテリだったが、学会や世界をふくめて、とかく物事をまじめに受け取る傾向があった。もしかしたら、ときには宇宙的冗談のひとつかもしれないのに。エイナルソンはつづけた。

「あなたは多分、われわれの最初の会話を覚えていらっしゃるでしょう。ぼくは、ニューヨークから着いたばかりだった。日曜のことで、大学の食堂はしまっていたので、『ナイトホーク』へ昼食をとりに行ったでしょう。あの時、ぼくは多くのことを知ったのです。よきヨーロッパ人として、ぼくはかねてから、南北戦争というのは、奴隷制支持者に対する十字軍だったと思っていた。ところが、あなたの持論によると、南部は合衆国から離脱して、独自の体制を維持することを希望する権利を保有していたのだという。その主張をおし進めるために、あなたは、自分が北部人であり、あなたの先祖のひとりが、かつて、ヘンリー・ハレック（一八一五―七二。北軍の総司令官）の戦列に加わっていたと言った。同時に、あなたは南部連邦軍の勇気を賞讃した。ぼくには、相手が何者かが即座に分る特別の勘があるんです。あの朝だけで、ぼくには十分でした。ぼくはね、ウィンスロップさん、あなたが、公平さに対する、あの奇妙なアメリカ的情熱に支配されていることを見てとったんです。あなたはなによりもまず、フェアであろうとする。北部人だという、まさにその理由で、南部の大義を理解し正当化しようとする。ぼくのウィスコンシン行きが、ローゼンソールへのあなたの一言にかかっていることを知るやいなや、ぼくは、あの小さな発見を利用しようと決心した。あなたが講壇で墨守している教授法をけなすことこそ、あなたの一票を獲得する最も有効な手段だと思ったのです。ぼくは、早速、ぼくの理論を要約しました。『マンスリー』の慣例で、頭文字を使わざるを得ませんでした。しかし、筆者がだれかということについて、これっぽっちも疑いを残さぬように、万全を期しました。多くの同僚に打ち明けさえしました」

長い沈黙があった。それを先《ま》ず破ったのは、ウィンスロップの方だった。

「分った」と彼は言った。「ぼくは、ハーバートの古い友人で、彼の仕事を高く買っている。君は、直接間接にぼくを攻撃した。君を推薦しなければ、それは一種の報復になっただろう。ふたりの実力をはかりにかけた結果は、御存じのようになった」

そして、考えごとを声に出すようにつけ加えた。

「多分、ぼくは、仕返しなぞはしないぞという虚栄心に負けたんだな。ごらんのとおり、君の計略はうまくいったんだよ」

「まさに計略というべきでしょうな」とエイナルソンは答えた。「しかし、ぼくは、自分のしたことを後悔はしません。今後も、われわれの学部にとっての最善をめざして行動するつもりです。それはともかく、ウィスコンシンへ行くことにきめました」

「ぼくの会った最初のヴァイキングだな」とウィンスロップは、相手の目を見すえながら言った。

「またまたロマンチックな迷信ですね。スカンジナビア人だからって、ヴァイキングの子孫とはかぎりませんよ。ぼくの先祖は、代々、福音教会のよき牧師でしてね、十世紀のはじめには、もしかしたら、それこそトール神のよき聖職者だったかもしれない。ぼくの一族には、ぼくの知るかぎり、船乗りはいませんでした」

「ぼくの方にはたくさん船乗りがいたよ」とウィンスロップは答えた。「そうはいっても、われわれはそれほど変っちゃいない。共通の罪がある。虚栄心だ。君は、巧妙な計略を誇るためにぼくの所へきた。ぼくの方は、自分が正しい男だということを誇るために、君を支持した」

「もうひとつ共通点がありますよ」とエイナルソンは答えた。「国籍です。ぼくはアメリカ市民です。ぼくの運命はここにあり、ウルティマ・ツーレ（極北の地）にはない。

あなたは、一枚のパスポートが人間の本性を変えるはずはない、とおっしゃるでしょうがね」

彼らは握手し、そして別れを告げた。

アベリーノ・アレドンド

この事件は、一八九七年、モンテビデオで起こった。

土曜日ごとに、数人の定連が、「カフェ・デル・グローボ」の、いつも同じ脇《わき》のテーブルを占領していた。彼らには、堅気の貧乏人がよくするように、自分の家はとても人に見せられないと承知しているか、あるいは、馴《な》れた境界を逃避するという気配があった。彼らは全部、モンテビデオの土地っ子だったから、最初のうちは、奥地の出のアレドンドと親しくなるには骨が折れた。彼はなかなか打ちとけなかったし、自分から口をきくこともなかった。二十を少しでたぐらいだろうか、やせて浅黒く、かなり背が低く、おそらくは少々不器用なたちなのだろう。眠そうでありながら、しかも精悍《せいかん》な両眼《め》に救われていなければ、その顔はほとんど目につかなかったろう。ブエノスアイレス通りの雑貨屋の店員で、余暇に法律を勉強していた。他《ほか》の連中が、国土を荒廃させ、かつまた世論に従えば、正当な理由もなく大統領が引きのばしている戦争（一八二八年のウルグワイ独立以後も、二十世紀初頭まで内乱が続いた）を非難したりするときには、アレドンドは黙っていた。また、けちだといってからかわれるときも、黙っていた。

「白い丘《セロス・ブランコス》」の戦いの後まもなく、アレドンドは、メルセデス（モンテビデオ北西の町）へ行く用があるので、当分会えないだろうと仲間に言った。その知らせを、気にとめる者はなかった。アパリシオ・サラビアのひきいるガウチョ団に気をつけろと言う者があった。アレドンドは微笑をうかべて、「ブランコス」（ブランコス〈白〉とコロラードス〈赤〉の両政党が闘争をくり返していた）のやつらなどこわくはないと答えた。相手自身「ブランコス」の党員だったので、なにも言わなかった。

アレドンドにとっては、恋人のクラーラに別れを告げる方が辛《つら》かった。友人に使ったのとほとんど同じ言葉を、彼は使った。ひどく忙しいはずだから、手紙を待たないように、とあらかじめ言いふくめておいた。クラーラは、手紙を書く習慣をもたなかったので、文句も言わなかった。ふたりは、おたがいに深く愛し合っていたのだ。

アレドンドは郊外に住んでいた。彼と同じ姓をもつ混血女が、身のまわりの世話をしていた。彼女の先祖は、「大戦争《ゲラ・グランデ》」の頃《ころ》、彼の家の奴隷だったのだ。彼女はまったく信用のおける女だったから、彼は、だれが探しにきても、田舎へ行っていると言えと命じた。雑貨屋の最後の給料も、彼はすでに受けとっていた。

彼は、土の中庭《パティオ》に面した奥の部屋に移った。これといった意味はないが、自ら課した幽閉を開始する助けにはなった。

その上で昼寝する習慣をとりもどした、せまい鉄製の寝台から、いささかの悲しみをこめ、彼は空になった棚を眺める。法律入門をふくめ、すべての本を、彼は売り払ったのである。聖書だけしか残っていなかったが、彼はそれをかつて読んだためしがなかったし、読み終える見込みもなかった。

あるときは興味から、ある時は退屈から、パラパラとページをくり、『出エジプト記』のある章と、『伝道の書』（『コヘレトの言葉』）の終りの部分を暗記するのを日課としたものの、いま読んでいるところを理解しようとする努力はしなかった。彼は自由思想家だったが、モンテビデオにくるに当って母親と約束したとおり、「主の祈り」を唱えることは一夜も欠かさなかった。この孝行の約束を果たさなければ、悪運に見まわれるだろうと彼は信じていた。

ゴールは八月二十五日（独立記念日）の朝と決まっていた。乗り越えねばならぬ日づけを、彼は正確に知っていた。いったんそのゴールに達すれば、時間は停止する、いや、もっとはっきりいえば、それ以後起こることは、なにひとつ意味をもたない。さながら幸福や解放を待つひとのように、彼はその日付を待った。始終目をやらないように時計を止めてしまったが、夜ごと、真夜中の十二の鐘をきくと、暦の一枚をひきちぎって、「一日減った」と考えた。

最初は、日課を定めようと思った。マテ茶を飲み、自分で巻いた煙草《タバコ》をふかし、きまった枚数を一読し、再読し、クレメンティーナが食事を盆にのせて運んでくるとき会話を試み、蠟燭《ろうそく》を消すまえに、ある演説をくり返してみて手を入れる。もうかなりの年のクレメンティーナとの会話は、とても容易なことではなかった。彼女の記憶はいまなお田舎と、田舎の日常生活にとどまっていたからだ。

彼はまた、チェス盤をもちだして、いつ果てるともしらぬでたらめの勝負をした。城将の駒《こま》がなくなっていたので、よくピストルの弾丸や二《ビ》セント貨《テン》を代りに使った。時間をつぶすために、アレドンドは毎朝雑巾《ぞうきん》や箒《ほうき》で部屋を掃除し、蜘蛛《くも》を追いかけた。混血女にとっては、彼がそんな家事をするのは好ましくなかった。それは彼女の領分だったし、そのうえ、彼はとてもうまいとはいえなかったからだ。

彼としては日が高くなってから目覚めたいのだが、空が明かるむ頃になると、起きる習慣の方が意志の力よりも強かった。仲間が無性に恋しかったが、ふだんの彼の鉄壁の無口からして、仲間の方は一向淋《さび》しがってはいまいと承知していたから、とりたてて心が痛むこともなかった。ある夕方、彼らのひとりが彼の消息をたずねにきたが、門前払いをくわされた。クレメンティーナはその男を知らなかったから、アレドンドも、それがだれだったか、ついに知らずじまいになった。ふだん彼は新聞をむさぼり読むたちだったので、はかない些事《さじ》の宝庫を捨てるのは辛かった。もともと、彼は、沈思黙考型の人間ではなかった。

彼の日夜は全く同じだったが、日曜日が最もこたえた。

七月半ばになると、どのみちわれわれをおし流してゆく時間を区切るのは、まちがいではなかったかと、彼は考えだした。それから、いまは血ぬられた、広漠たるウルグワイの国土を、おのれの想像がさまようままにまかせた。昔、凧《たこ》をあげたサンタ・イレーネの起伏のある野原。もう死んでしまったはずのぶちの仔馬《こうま》。牛追いたちが追ってゆくとき牛の群れがあげる土埃《つちぼこり》。安い小間物の荷を積んで、毎月フライ・ベントス（モンテビデオ北西の河港都市）からやってくるくたびれた乗合馬車。愛国の志士「三十三人」衆が上陸したラ・アグラシアーダの入江（ラプラタ河沿岸）。エルビデーロの泉。尾根、峰、河。かつて灯台まで登って、ラプラタ河の両岸に比肩するものはないと思ったセロ丘（モンテビデオ湾のはずれの丘。マゼランの一行が、モンテ・ビデウ〈われ山を見たり〉と叫んだと言われる）。その丘から、彼の想念は国の紋章の丘に移ってゆき、それから、眠りに落ちた。

夜ごと、海風が眠りを誘う涼気をもたらした。眠れないということはたえてなかった。

彼は恋人を十分愛してはいたが、男たるもの、女のことなど考えてはならぬというではないか、とりわけ、女気のないときには。田舎の生活から、彼は精進に馴らされてきた。もうひとつの件に関しては……　憎い男のことはなるべく考えないよう努めた。

平屋根をうつ雨の音が、いつも彼の友だった。

囚人や盲人にとって、時間は、さながらゆるい勾配《こうばい》を下る川のように流れる。幽居の半ば頃には、アレドンドも、一度ならずそのような時外の時を経験した。第一の中庭に天水桶《おけ》があって、その底に一匹のがまがいた。しかし、永遠と境を接しているがまの時間が、彼の求めるものだったとは、ついぞ思いおよばなかった。

例の日付が近づいてくると、ふたたび焦燥がはじまった。ある夜、もう我慢できなくなって、通りに出た。あらゆるものがちがって見え、より大きく見えた。とある角を曲ると、灯が見えたので、酒場にはいった。腰をすえる口実に、辛口のラムを一杯頼んだ。木のカウンターによりかかって、数人の兵士たちがしゃべっていた。そのなかのひとりが言った。

「戦闘のニュースを洩《も》らすのは御法度だよな。実はゆうべ、あることが起こったんだが、きさまらにもきっと面白いと思うぜ。おれと隊の仲間数人で『報知《ラ・ラソン》』社のまえを通りかかったんだ。すると、なかから、命令違反の人声がきこえた。即刻ふみこんだ。編集室は真っ暗だった。しかし、まだしゃべっている奴《やつ》を銃で蜂《はち》の巣にしてやった。そいつが黙った時、足を持ってひきずりだそうとしたら、あの、ひとりでしゃべる『蓄音機』って機械だったんだ」

一同がどっと笑った。

アレドンドはずっと聞き耳をたてていた。その兵士がきいた。

「どうだい、この冗談、え？　百姓さんよ」

アレドンドは黙っていた。軍服の男は、ぐっと顔を近寄せて言った。

「さあどなってみな、フアン・イディアルテ・ボルダ大統領万歳！　ってね」

アレドンドは反抗しなかった。はやしたてる嘲弄《ちょうろう》の声のなかをやっと戸口にたどりついて、最後の侮辱がたたきつけられた時は通りに出ていた。

「しんそここわけりゃ、怒るほど間抜けにゃなれねえやな」

臆病《おくびょう》者のように振舞いはしたが、しかし、そうではないことが自分には分っていた。ゆっくりと家に戻った。

八月二十五日、アベリーノ・アレドンドは九時過ぎに目ざめた。まずクラーラのことを思い、そのあと、ようやくその日のことを考えた。ほっとして、自分にこう言った。

「待つ仕事はもうおさらばだ。さあ、今日だぞ」

急がずにひげを剃《そ》り、鏡のなかに、いつもと変らぬ顔をみとめた。赤いネクタイと最上の服をえらんで、遅い昼食をしたためた。灰色の空からは、いまにも小ぬか雨が落ちてきそうだった。彼自身は、いつも、この日の空の快晴を想《おも》いえがいてきたのに。湿った部屋をこれを限りにでてゆく彼の心を、一抹の悲哀がよぎった。玄関でクレメンティーナとすれちがったとき、残っていた最後の数ペソを彼女にやった。雑貨屋の看板に、ペンキを示す菱形《ひしがた》の彩色を見て、そういえばふた月以上の間、これをまったく思いださなかったなと考えた。サランディ通りに向かった。その日は休日で、あたりにはあまり人影がなかった。

彼がマトリス広場に着いたとき、まだ三時になっていなかった。「テ・デウム」は、もう終っていた。一団の顕官《けんかん》、軍人、高僧らが、寺院のゆるい階段を降りてくるところだった。最初の一瞥《いちべつ》では、山高帽――そのいくつかはまだ手の中にあった――や制服、それに金色の袖口《そでぐち》飾り、武器や長袍《ちょうほう》などから、ひどく多人数のような幻想を抱かせられたが、実のところは、三十人をこえぬ数だった。アレドンドは恐怖を感じていなかったので、なにがしか尊敬の念さえ抱いたほどだ。どれが大統領かと彼はたずねた。

「あの冠と錫杖《しゃくじょう》をもった大司教のとなりの人だよ」と教えられた。

彼は拳銃《リヴォルヴァ》を抜きだし、発射した。

イディアルテ・ボルダは、一、二歩降りると、うつ伏せに倒れ、「やられた」とはっきり言った。

アレドンドは、みずから官憲に身をまかせた。そのあと、こう言うことになる。

「私は『赤党《コロラードス》』の一員であることを誇りをもって宣言する。わが党を裏切り、汚した大統領に死を与えた。事件にまきこまぬために、友人とも恋人とも手を切った。だれも私をそそのかしたと言えぬように、新聞も読まなかった。したがって、この正義の行為は、私だけのものである。さあ、裁きを受けよう」

あの事件が起こったのは以上のごとくだが、ただし、もっと複雑な形ではあったろう。ともかく、わたしには、その事件をこう想いみることしかできぬ。

円盤

わしは樵夫《きこり》だ。名前はどうでもよい。わしが生れ、また、近く死ぬはずの小屋は、森のはずれにある。その森は、大地をぐるりととりかこむ海までもひろがり、そのあたりには、わしのと同じ木の家が、点々と連なっているという。わしには分らぬ。なにしろ海を見たことがないのだから。森の反対側も見たことがない。まだ幼い頃《ころ》、兄が、いまにふたりがかりで、一本残らずこの森の木を伐《き》り倒そう、とわしに誓わせたことがあった。兄は死んでしまった。だが、いまわしが追いもとめ、これからさきも探しつづけてゆこうとしているのは、別のものだ。西の方には、手づかみで魚のとれる小川が流れている。森には狼《おおかみ》がいる。しかし、狼は少しも恐ろしくはない。わしの斧《おの》は、一度たりともわしを裏切ったことはないからだ。わしは自分の年を数えるのをやめた。かなりの年だとは分っている。わしの目は、もう見えぬ。いまは道に迷いそうなので行かぬが、村では、わしはけちという評判だ。だが、森の樵夫がなにを貯《た》めこんだというのか。

雪が降りこまぬように、小屋の戸は石でおさえてある。ある日暮れ時、難渋する足音と、やがて戸をたたく音が聞こえた。戸をあけると、ひとりの見知らぬ者がはいってきた。背の高い、年とった男で、すり切れた毛布にくるまっている。傷あとが、彼の顔を横切っている。寄る年波は、男に弱々しさよりも威厳を与えたようだ。が、杖《つえ》にすがらずに歩くのは難しいと見てとれた。わしらは言葉を交したが、それらはもう忘れた。最後に彼はこう言った。

「わしには家がなく、どこでも眠れるところで眠る。サクソンの全土を経めぐってきた」

この言葉は彼の老齢の証《あか》しだった。わしの父も、常にサクソンのことを話していたものだ。いまは、イングランドと呼ばれている土地だ。

パンと魚があった。食事のあいだ、わしらは黙ったままだった。雨が降りはじめた。数枚の毛皮で、土間に寝床をととのえてやった。兄が死んだ場所だ。夜になって、わしらは眠った。

夜が明けはなれる頃、家を出た。雨はすでにやみ、土は新しい雪におおわれていた。杖がすべり落ちたので、彼はわしに拾えと命じた。

「なぜお前に従わなければならないのだ？」とわしはきいた。

「ほかならぬ、わしが王だからじゃ」と、男は答えた。

常軌を逸しているとわしは思った。杖を拾って彼に渡した。

彼は声音を変えて語った。

「わしはセッジェンスの民の王じゃ。幾度も烈《はげ》しいいくさの挙句、わが軍を勝利に導いた。だが、運命の時がきて、わが王国を失った。わが名はイーセルン、オーディンの末《まつ》裔《えい》じゃ」

「おれはオーディンなぞあがめてはおらん。キリストをあがめている」とわしは答えた。

その言葉も聞こえぬように、彼はつづけた。

「流浪の旅路をたどってはいるが、わしはいまでも王じゃ。円盤を持っておるからな。見たいか？」

彼は骨ばった掌《てのひら》をひらいた。なかにはなにもなかった。からっぽだった。その時はじめて、彼がいつも手を握っていたことに気づいた。

わしをじっとみすえながら言う。

「さわってもよいぞ」

まだ半信半疑で、指の先を掌に触れた。なにか冷たいものを感じ、光が見えた。いきなり手は閉じられた。わしはなにも言わなかった。相手は、さながら幼な児《ご》にでも言いきかせるように、辛抱づよくつづけた。

「これがオーディンの円盤じゃ。片側しかない。この世に、片側しか持たぬものは、他《ほか》にひとつもない。これがわしの手にあるかぎり、わしは王なのじゃ」

「黄金か?」とわしはきいた。

「知らぬ。これはオーディンの円盤で、片側しかないのじゃ」

そのとき、むらむらと、その円盤をわがものにしたいという欲望が頭をもたげた。もしわしのものなら、金塊と引きかえにそれを売って、王になれる。

わしは、いまでも憎いその放浪者に言った。

「小屋のなかに、金《かね》のはいった箱がかくしてある。全部金貨で、斧のように光っている。オーディンの円盤をくれれば、その箱をお前にやろう」

彼はかたくなに拒んだ。

「いやだ」

「それなら」とわしは言った。「お前の旅をつづけるがいい」

彼はわしに背を向けた。首筋を斧で一撃するだけで、彼の身体《からだ》がゆらぎ、倒れるに十分すぎるほどだった。しかし、倒れるとき、彼は手を開き、空中に光が見えた。斧でその場所を印《しる》しておいて、ひどく増水している川まで死体を引きずってゆき、そこへ投げこんだ。

小屋にもどると、その円盤を探した。みつからなかった。それからもう長いあいだ、わしはそれを探しつづけているのだ。

砂の本

……なんじの砂の綱……
ジョージ・ハーバート（一五九三—一六三三年）

線は無数の点から成り、平面は無数の線から成る。体積は無数の平面から成り、超体積は無数の体積から成る……。いや、たしかに、このような「幾何学の法則《モレ・ゲオメトリコ》による」のは、わたしの物語をはじめる最上の方法ではない。これは真実だと主張するのが、いまや、あらゆる架空の物語の慣例である。しかしながら、わたしの話は、本当に本当なのである。

わたしは現在、ひとりで、ブエノスアイレスのベルグラーノ通りの、アパートの五階に住んでいる。数カ月前になろうか、ある日暮れ方、戸口をたたく音が聞こえた。あけると、見知らぬ人がはいってきた。背の高い男で、目鼻立ちは判然としなかった。そう見えたのは多分、わたしの近眼のせいだろう。全体の様子は、実直な貧乏人というところだった。ねずみ色の服を着て、手にはねずみ色のスーツケースをさげている。外国人だとすぐに分った。最初は老人だと思った。が、やがて、スカンジナビア人特有の、ほとんど白に近いブロンドの薄い髪のせいで、見違えたことに気づいた。一時間足らずの会話の間に、彼はオークニー諸島（スコットランド北部）の出だと分った。

彼に椅子《いす》をすすめた。その男は、しばらく間をおいてから話しだした。彼の身辺には、いまのわたしと同じように、憂愁の気がたちこめていた。

「聖書を売っています」と彼は言った。

いささかの衒学《げんがく》趣味をこめて、わたしは答えた。

「うちにも、英語の聖書なら何冊かある、最初の、ジョン・ウィクリフ訳（イギリスの宗教改革家の英訳聖書。一三八〇年代）もね。また、シプリアーノ・デ・バレラ訳（一五三二？―一六〇二年。スペインの人文学者、聖職者。一六〇二年、スペイン語訳聖書をアントウェルペンで出版）もあるし、ルター訳、これは文学的には最低だがね、それから、標準ラテン語訳のヴルガタ聖書（四世紀、ヒエロニムス訳で、一四五五年世界最初の印刷本となる）もある。ごらんのとおり、はっきり言って聖書はこれ以上必要としないんだよ」

ちょっと沈黙した末に、彼は答えた。

「聖書だけを売っているわけではないのです。ある神聖な本をお目にかけられるんですが、多分お気に召すと思いますよ。ビカネール（インド西部、タール砂漠のオアシス都市）の郊外で手に入れたんですがね」

彼はスーツケースをあけると、それをテーブルのうえに置いた。布製の八折り判の本った。

だった。多くの人の手を経てきたものであることは疑いない。仔細《しさい》にあらためてみる。と、まずその異常な重さに驚いた。背には、「聖書《ホーリー・リット》」、そして下に「ボンベイ」とあった。

「十九世紀だろうな」とわたしは言った。

「さあ、どうしても分らないんですよ」という返事だった。

わたしは何気なくその本を開いた。知らない文字だった。粗末な印字の、古びたページは、聖書によく見られるように二列に印刷されていた。テクストはぎっしりつまっており、一節ごとに区切られているページの上の隅には、アラビヤ数字がうってあった。偶数ページに（たとえば）四〇、五一四という数字があるとすると、次のページは九九九になっているのが、わたしの注意を引いた。ページをめくってみる。裏面には、八桁《けた》の数字がならぶ番号がうたれていた。よく辞書に使われるような小さな挿絵があった。子供がかいたような、まずいペンがきの錨《いかり》だった。

見知らぬ男がこう言ったのはその時だ。

「それをよくごらんなさい。もう二度と見られませんよ」

声にはでないが、その断言の仕方には一種の脅迫があった。

その場所をよく心にとめて、わたしは本を閉じた。すぐさま、また本を開いた。一枚一枚、あの錨の絵を探したが、だめだった。狼狽《ろうばい》をかくすために、わたしは言った。

「これはいずれヒンドスターニー語訳の聖書ですな、ちがいますか？」

「ちがいます」と彼は答えた。

それから、秘密を打ち明けるように声をおとした。

「わたしは、平原の村で、数ルピーと一冊の聖書と引きかえに、それを手に入れたのです。持ち主は、読み方を知りませんでした。察するところ、『本の中の本』（聖書）を一種の護符だと思っていたんでしょうな。彼は最下級のカーストでした。その男の影を踏んだだけでも、汚れることまちがいなしというやつなんです。彼が言うには、この本は『砂の本』というのです。砂と同じくその本にも、はじめもなければ終りもない、というわけです」

彼は、最初のページを探してごらんなさいと言った。

左手を本の表紙の上にのせ、親指を目次につけるように差し挟んで、ぱっと開いた。全く無益だった。何度やっても、表紙と指のあいだには、何枚ものページがはさまってしまう。まるで、本からページがどんどん湧《わ》き出てくるようだ。

「では、最後のページを見つけて下さい」

やはりだめだった。わたしは、自分のものとも思われぬ声で、こう言いよどむのがやっとだった。

「こんなことがあるはずはない」

相変らず低い声で、聖書の売人は言った。

「あるはずがない、しかしあるのです。この本のページは、まさしく無限です。どのページも最初ではなく、また、最後でもない。なぜこんなでたらめの数字がうたれているのか分らない。多分、無限の連続の終極は、いかなる数でもありうることを、悟らせるためなのでしょう」

それから、あたかも心中の考えごとを口にのぼせるように、

「もし空間が無限であるなら、われわれは、空間のいかなる地点にも存在する。もし時間が無限であるなら、時間のいかなる時点にも存在する」

彼の思考はわたしをいらだたせた。彼にきいてみた。

「もちろんあなたは信仰をおもちでしょうな」

「ええ。長老会派《プレスビテリアン》です。良心にやましいところはありません。悪魔の本と引きかえに、『主の御言葉』（聖書）を与えたからといって、あの先住民をだましたことにはならないと確信しています」

わたしも彼に、なにも自分を責めることはないとうけ合った。そして、こちらを旅行中なのかとたずねた。数日中に故国へ帰るつもりだ、と彼は答えた。彼がオークニー諸島出のスコットランド人だと知ったのはこのときだった。スティーヴンソンとヒュームが好きだから、スコットランドには個人的愛情を抱いていると、わたしは言った。

「それと、ロビー・バーンズ（ロビーはロバートの愛称）のために、でしょう」と彼は訂正した。

話をしながら、わたしはその無限の本を調べつづけた。無関心をよそおいつつきいた。

「君はこの珍本を大英博物館に提供するつもりでしょうな？」

「いいえ、あなたに提供するつもりです」と答え、彼はかなりの高額を提示した。

わたしは、本心から、その金額ではとても手が届かないと答えたが、なおも考えこんでいた。数分後、計画を思いついた。

「交換というのは、どうだろう」とわたしは言った。「君は、数ルピーと聖書と引きかえにこの本を手に入れた。わたしは、受けとったばかりの恩給の総額と、ゴチック文字版ウィクリフ訳聖書を提供しよう。先祖伝来の宝物だ」

「ゴチックのウィクリフ！」と彼はつぶやいた。

わたしは寝室へ行き、金と本をもってきた。彼はページをくり、いかにも愛書家らしい熱心さで扉を調べた。

「きまった」と、彼は言った。

彼が値切ろうともしなかったので、わたしはおどろいた。この家に入ってきたときから、彼はその本を売る決心だったと分ったのは、後のまつりになってからだ。札を数えもせずに、彼はそれをしまった。

われわれは、インドのこと、オークニー諸島のこと、かつてそこを治めていたノルウェーの族長《ジャール》たちのことを話した。その男が帰ったときは、もう夜になっていた。その後二度と彼には会わないし、彼の名前も知らない。

「砂の本」は、もとウィクリフのあった場所にしまおうと考えたが、結局、半端物の『千夜一夜物語』のうしろにかくすことにした。

床についたが、眠れなかった。夜明けの三時か四時に、明かりをつけた。例のありうべからざる本を取りだし、ページをくった。あるページに、ひとつの面が刻みこまれているのをみつけた。隅には、もういくつか忘れたが、九乗した数がうってあった。

わたしは、わたしの宝物をだれにも見せなかった。所有の幸福のほかに、盗まれるという恐怖、それに、本当は無限ではないのではないかという危惧《きぐ》があったからだ。このふたつの心配が、年来の人ぎらいを強めることになった。わたしには数人の友人しか残っていない。その友人にも会うのをやめた。結局、わたしはその本のとりことなって、ほとんど家から出なかった。虫眼鏡で、すり切れた背や表紙を調べ、どんな仕掛けもなさそうだということが分った。小さな挿絵が、二千ページもはなれているのをたしかめた。それをアルファベット順にノートに書きつけていったが、ノートはすぐに一杯になった。それらは一度も重複することがなかった。夜は、不眠症の許すわずかの合間に、本を夢みた。

夏が過ぎ去る頃《ころ》、その本は怪物だと気づいた。それを両眼《め》で知覚し、爪《つめ》ともども十本の指で触知しているこのわたしも、劣らず怪物じみているのだと考えたが、どうにもならなかった。それは悪夢の産物、真実を傷つけ、おとしめる淫《みだ》らな物体だと感じられた。

わたしは火を考えた。だが、無限の本を燃やせば、同じく無限の火となり、地球を煙で窒息させるのではないかと惧《おそ》れた。

一枚の葉をかくすに最上の場所は森であると、どこかで読んだのを、わたしは思いだした。退職するまえ、わたしはメキシコ通りの国立図書館に勤めていて、そこには九十万冊の本があった。玄関ホールの右手に、螺旋《らせん》階段が地下に通じていて、地下には、定期刊行物と地図があった。館員の不注意につけこんで、「砂の本」を、湿った棚のひとつにかくした。戸口からどれだけの高さで、どれだけの距離か、わたしは注意しないように努めた。

これで少しは気が楽になった。しかし、いま、わたしはメキシコ通りを通るのもいやだ。

後書き

読者がいまだ読まない物語に前書きをつけるのは、至難に近い業だ。前もって行なっては不都合な、プロットの分析を要するからである。従って、わたしは後書きを書くことにした。

最初の話は、分身という古い主題を再びとり上げたものだ。これは、あのロバート・ルイス・スティーヴンソンの、たえて変らぬめでたい筆を、いく度も動かした主題である。それは、イギリスではfetch、より文語的にいえばwraith of the living（ともに生霊）とよばれるもので、ドイツならばDoppelgängerである。その最初の名前のひとつは、alter ego（ラテン語、もうひとつの我）かと思う。この幽霊は、多分、金属の鏡か水鏡、あるいは、たんに記憶のなかからたちあらわれたものだろう。そこでは、それぞれが、観客であると同時に俳優となる。対話者たちが、ふたりでありうるだけ相違していると同時に、ひとりでありうるだけ相似していることが、わたしの到達すべき目標であった。ニュー・イングランドのチャールズ河畔で、その冷たい流れに、はるかなローヌの流れを思いだしながら、この物語の着想を得たことは、はたして述べるに値するだろうか？

愛のテーマは、わたしの詩作にしばしば見られるが、散文にはあらわれない。「ウルリーケ」はその例外である。読者は、「他者」との形式上の相似を、ここに認められるだろう。「会議」は、おそらく、この本の物語群のなかでは、もっとも野心的な作品である。主題が、あまりにも広汎《こうはん》な事柄を構想したため、ついには世界そのものと、そして日常生活の総和と混同することになった。朦朧《もうろう》とした冒頭は、カフカの小説を真似《まね》ようとしたもので、終結部は、チェスタトンかジョン・バニヤンの法悦境に到《いた》ることをめざしたが、あきらかに失敗した。わたしにとって、こうした啓示は、生涯、身分不相応のものらしいが、それを夢想することにはどうやら成功した。途中、例によって、多くの自伝的要素を織りこんでおいた。

運命は、御存じのとおり測り知れないが、H・P・ラヴクラフト——この作家を、わたしはポーの無意識のパロディストだと、つねづね考えているのだが——の死後の小説というべきものをでっちあげないことには、わたしの心が落ち着きそうもなかった。結局、あきらめることにしたが、その嘆かわしい結実が、「人智の思い及ばぬこと《ゼアラー・モア・シングズ》」という表題をもつことになった。

「三十派」は、ありうべき異端の歴史を再生させたものだが、これを裏づける記録は皆無である。

「恵みの夜」は、この作品集のなかでは、おそらくもっとも無垢《むく》、もっとも激烈、かつ、もっとも高揚したものであろう。

「バベルの図書館」（一九四一年）は、無数の本を想定しているが、「ウンドル」と「鏡と仮面」は、唯一の言葉から成る、幾百星霜を経た文学である。

「疲れた男のユートピア」は、わたしの判断では、この本のなかで、もっとも正直、かつメランコリックな一篇《いっぺん》だ。

北米人の偏執的倫理感には、いつも瞠目《どうもく》してきた。「贈賄」では、この特性をうつしてみようと思った。

ジョン・フェルトン、シャルロット・コルディ、リベラ・インダルテの意見（「ロサス（フワン・マヌエル・デ。一七九三―一八七七。アルゼンチンの独裁者）を殺すのは聖なる行為だ」）や、ウルグワイの国歌（「暴君あらば、われにブルータスの剣あり」）にもかかわらず、わたしは政治的暗殺を是認することができない。それはともかく、アベリーノ・アレドンドの孤独な犯行を読まれた読者は、ことの成りゆきを知りたいとお望みだろう。ルイス・メリアン・ラフィヌールは無罪放免を請願したが、裁判官カルロス・フェインとクリストバル・サルバニャックは、彼に、一カ月の禁固と五年の刑を宣告した。今日、モンテビデオの街路のひとつは、彼の名前をもつ（この事件は史実だが、現在、この名を冠した街路はない）。

ふたつの、逆の不可知の物体が、最後の二篇の題材である。「円盤」は、ひとつの面のみを許容するユークリッド的円であり、「砂の本」は、数えきれないページをもつ一巻である。

今いそがしく口述を終えたばかりのこのノートが（ボルヘスはこの時点ではほとんど目が見えなかった）、この一巻の終りとならぬよう、また、今これを閉ざす人々の、好意にみちた想像力のなかで、その夢想がどこまでも分岐しつづけることを願ってやまない。

J・L・B

ブエノスアイレスにて、一九七五年二月三日

汚辱の世界史

この本をS・Dに捧《ささ》げる。イギリス人で、無数にして一なる天使に。同時に、これまでどうにか蓄えてきたわたしの核をも彼女に捧げる——言葉に関《かか》わらず、夢を商わず、そして、時間にも、歓喜にも、逆境にもそこなわれぬ中心を。（原文英語）

初版　序

この本を構成する物語散文の習作は、一九三三年から一九三四年にかけて書かれた。思うにそれらは、スティーヴンソンとチェスタトンの再読や、フォン・スタンバークの初期の映画、またエバリスト・カリエゴのある伝記にも由来しているだろう。わたしはいくつかの手法を濫用した。たとえば、手当り次第に列挙することとか、話の流れを唐突に切ること、一人の人間の全生涯を二つか三つの情景に集約することなど（この視覚的な見取図趣味が、『ばら色の街角の男』の物語にも現われている）。それらはいずれも心理主義の作品ではないし、またそう見せる意図ももたない。

巻末の魔術を扱った諸篇に関しては、翻訳者や読者以上の権利をわたしはいささかももっていない。時折わたしは、よき読者というものは、よき作者以上に稀有《けう》な、いわば黒い白鳥ではないかと思う。ヴァレリーが完全至上のエドモン・テスト氏の手記とした諸篇が、彼の妻や友人のそれに比べて少々劣るという意見を否定する者があるだろうか。読むことは、さしあたり、書くことの後に来る行為である。それは、より慎しみ深く、より洗練された、より知的な行為なのである。

J・L・B

ブエノスアイレスにて　一九三五年五月二十七日

一九五四年版　序

あらゆる可能な手法を意識的に使い尽し（あるいは使い尽そうとし）、そのあげく、それ自体がパロディーと紙一重になる文体を、バロックとわたしは呼びたい。かつて一八八〇年頃に、アンドルー・ラングが、ポウプ訳の『オデュッセイア』の戯作をものしようとしたが、無駄な試みに終った。ポウプ訳がすでにパロディーである以上、それをパロディー化しようとする者は、前作を凌駕《りょうが》することができなかったのである。「バロック」とは、三段論法の一形式の名称である。十八世紀が、十七世紀の建築や絵画に見られるある種の過剰さに対してこれを用いた。わたしに言わせれば、自らの手法を誇示し濫費する時、あらゆる芸術の最終段階はバロックとなるのである。バロックは知的な様式である。そしてバーナード・ショーは、あらゆる知的労働はユーモラスなものだと断定した。そのようなユーモアは、バルタサール・グラシアンの作品においては意識的なものではなかったが、ジョン・ダンの場合は、意図的であり意識的である。

この本につけた大袈裟《おおげさ》な標題がすでに、バロック的な性格を鮮明にしている。それを矯《た》めようとすれば、こわすことになりかねない。この度、「わが記したることは記したるがままに」(ヨハネ伝十九章二十二節) という言葉を援用して、二十年前の作品を、あるがままに再版することにしたのはそのためである。それらは、自ら物語を書く勇気がないために、他人の物語を(何ら美学上の正当な理由もなく) 偽造し歪曲《わいきょく》して楽しんでいた、小心な若者の無責任な手すさびである。これらの曖昧《あいまい》な習作から出発して、彼はやがて直截《ちょくせつ》的な短篇——『ばら色の街角の男』——という刻苦の作を書くに到る。この作品に、彼は曾祖父《そうそふ》の一人フランシスコ・ブストスの名をかりたが、それは異常な、そしていささかわけの分らぬ成功をおさめた。

その話は、往時のブエノスアイレスの場末の訛《なま》りで書いてあるのだが、いくつかの教養語、たとえば「臓腑《ぞうふ》」、「回心」、その他が散見されるのに気付かれた向きもあろう。わたしがそうした理由は、ならず者といえども洗練を志向するものだし、また(これは先の理由に抵触することになるが、たぶん真実と思われるのだ)、ならず者にも個人差があり、常にならず者の理想型らしくしゃべるとは限らぬからである。

大乗仏教の哲人たちは、宇宙の本質は空《くう》であると説いている。同じ宇宙の一小部分であるこの本に関する限り、彼らの言うところはまったく正しい。絞首台や海賊たちがこの本をにぎわわしており、標題の「汚辱」という言葉は大仰だが、無意味な空騒ぎの背後には何もない。すべて見せかけに過ぎず、影絵に等しいのである。だが、ほかならぬその理由が、面白さを保証するだろう。これを書いた男は、当時少しく不幸であった。しかしこれを書くことによってまぎらすことができた。願わくはその愉悦の名残りのなにがしかが読者に反映せんことを。

「エトセトラ」の部に、この度は三篇を新たにつけ加えた。

J・L・B

汚辱の世界史

恐怖の救済者 ラザラス・モレル

遠　因

一五一七年、スペインの宣教師バルトロメ・デ・ラス・カーサスは、アンチル列島の地獄さながらの金坑で呻吟《しんぎん》しているインディオにいたく同情し、ときのスペイン王カルロス五世に、かわりの黒人を輸入して、アンチル列島の地獄さながらの金坑で呻吟させるという案を進言した。南北アメリカを通じて、この奇妙にねじくれた博愛主義に負うものは無数にある。すなわち、W・C・ハンディのブルース。ウルグワイの弁護士兼画家ドン・ペドロ・フィガーリの、パリにおける黒人画の成功。タンゴの起源を黒人まで遡《さかのぼ》ってあとづけた、もう一人のウルグワイ人、ドン・ビセンテ・ロッシの土の香り高い好散文。エイブラハム・リンカーンの神話的側面。南北戦争の五十万の戦死者と、その三十三億にのぼる軍人恩給。想像で象《かたど》った独立戦争の英雄、「二角帽《ファルチョ》」のアントニオ・ルイスの彫像。スペイン学士院の辞典第十三版への、《linchar》「リンチする」という動詞の採録。キング・ウォリス・ヴィダー監督の猛烈な映画「ハレルヤ」。ウルグワイのセリートの戦闘においてアルゼンチン人ミゲル・ソレル大尉にひきいられた、かの有名な「混血と黒人」部隊の勇猛果敢な銃剣突撃。タルの娘の優美さ。マルティン・フィエロに殺された黒人。嘆かわしいルンバ「南京豆売り」。土牢《つちろう》につながれたトゥッサン・ルーヴェルテュールのナポレオニズム。ハイチの黒人宗教ブードゥー秘儀における十字架と蛇と、祭司《パパロイ》の山刀で喉《のど》をかき切られる山羊《やぎ》の鮮血。タンゴの母なるハバネラ。ブエノスアイレスやモンテビデオに今も残るもう一つの黒人の踊りカンドンベ。

さらに、極悪非道の黒人解放者ラザラス・モレルの、華々しい悪の一生。

舞台

諸川の父、世界一の大河ミシシッピは、この稀代《きたい》の悪漢にふさわしい舞台であった(アルバレス・デ・ピネーダがその河を発見し、エルナンド・デ・ソート大尉が最初の探険者となった。彼は昔のペルーの征服者《コンキスタドール》で、インカの国王アタワルパにチェスを教えて、その獄中の無聊《ぶりよう》を慰めた人である。デ・ソートは、死んだ時ミシシッピに葬られた)。

ミシシッピは茫漠《ぼうばく》として果てしなく、南のパラナ、ウルグワイ、アマゾン、オリノコ各河の、渺《びょう》たる兄である。それは泥水の河だ。毎年、四億トンをこえる沈泥が吐き出されて、メキシコ湾を汚す。太古から、大量の聖なる塵土《じんど》がデルタを形成して来た。そこでは、不断に分解している大陸の残滓《ざんし》の中から、巨大な沼地の糸杉が生え、泥と死魚と藺草《いぐさ》の迷路が、この悪臭の領土の境界と平和を、少しずつ押し広げている。上流に分岐するアーカンザス川とオハイオ川の間にも、別の低地がひろがっている。瘴気《しょうき》に冒されやすいせいか、血色が悪く不潔な人種がここに住み、石と鉄とをがつがつと追い求めるが、それというのも、彼らの周囲には、砂と丸太と泥水以外にめぼしいものがないからである。

登場人物

十九世紀のはじめ(これがわれわれに関係のある時代である)、河沿いの広大な棉花《めんか》農園では、日の出から日の入りまで、黒人たちが作業していた。彼らは丸木小屋の土間にねた。母子のつながりを別にすれば、血縁関係はその場限りではっきりしない。名前はあったが、姓はいらなかった。彼らはまた文字が読めなかった。やわらかい裏声《ファルセット》で、英語の母音を引っぱってうたうようにしゃべった。彼らは列をくんで、監視人の鞭《むち》の下で身をかがめて働いた。逃亡すれば、ひげだらけの男たちが見事な馬にとび乗り、吠《ほ》えたてる猟犬の群れを引きつれてあとを追った。

　幾重にも重なった動物的な希望とアフリカ的な恐怖に加えて、彼らの心には聖書の言葉が刻まれていた。だから彼らは、キリストを信じた。「ゴー・ダウン・モーゼズ」と彼らは深い声で合唱した。ミシシッピは彼らにとって、みすぼらしいヨルダン川の壮大すぎるイメージとなった。

　このきつい労働の土地と、これら黒人の群れの所有者は、長髪の怠惰な、貪欲《どんよく》な紳士たちで、かならず白松とギリシアまがいの柱廊玄関《ポーティコ》のついた、川を見下ろす大邸宅に住んでいた。よい奴隷は千ドルもするのに、長持ちしない。なかには不届きにも病気で死んでしまうのもいる。そういう不安定な条件の中から、最大の収益をしぼり出さなければならない。奴隷たちが夜明けから日没まで畑に釘《くぎ》づけにされるのもそのためであるし、農園が棉花とか煙草《タバコ》とか砂糖黍《さとうきび》といった収穫を毎年あげなければならないのもそのためであった。このあくなき濫作によって酷使された土壌は、またたく間に疲弊してしまい、入りくんだ泥だらけの荒地が、その土地を蚕食していった。放棄された農園に、町はずれに、深い砂糖黍の藪《やぶ》の中に、目もあてられぬ沼沢地に、プア・ホワイトが住みついた。彼らは時に応じて漁師となり、狩人となり、馬泥棒となった。しばしば黒人に盗んだ食物のお余りをねだったが、それほどの卑しい状態にあってさえ、プア・ホワイトたちはある種の誇りを抱き続けていた――汚れていない、混っていない純血の誇りを。ラザラス・モレルはその一人であった。

主人公

アメリカの雑誌にのっているモレルの銀板写真は本物ではない。これほど記憶にあたいする有名な男の本物の肖像がないということは、偶然ではありえない。モレルは、本来、無意味な手がかりを残したくない、と同時に、彼の周囲に漂う謎《なぞ》を大事にしたいために、カメラを拒んだものと推定される。しかし、若い頃《ころ》の彼は容貌《ようぼう》に恵まれず、近すぎる眼と、真一文字の唇が、あまり好印象を与えなかったことが分っている。その後、年月が彼に、白髪の悪党や、法の網をくぐった大胆不敵な犯人に特有の威厳を与えたのだが。みじめな幼年時代と恥ずべき人生を送ったにもかかわらず、彼は老南部紳士であった。聖書に精通していた彼は、なみなみならぬ自信をもって説教した。「あっしは説教壇に立ったラザラス・モレルを見ましたよ」とルイジアナのバトン・ルージュの賭博《とばく》場《じょう》の主人が言っている。「ありがたい話をじっと聞いてたら、奴《やつ》の眼に涙がもり上って来た。そりゃ神様が御覧になりゃ、奴は間男で、黒人泥棒で、人殺しだったかもしれないが、あの時はあっしも思わず泣けて来たね」

こうした神聖な心情の発露のもう一つのりっぱな証明は、モレルその人によって提供されている。「わたしはゆき当りばったりに聖書を開いた」と彼は書いている。「すると聖パウロの都合のいい文句に出くわしたので、一時間二十分も説教をした。この時間を助手のクレンショーやその手下も無駄にはしなかった。というわけは、彼らは外で聴衆の馬を集めていたからだ。わたしらはそれをアーカンソー州で売った。ただしいきのいい栗毛《くりげ》を一頭、自分用にとりのけておいた。クレンショーもそれが気に入ったんだが、自分のものにはならないことぐらい、彼にも分っていたんだ」

方　法

ある州で馬を盗んで、別の州でそれを売るということは、モレルの犯罪歴の中ではほんの余談にすぎないが、それは、今や悪名の世界史における彼の位置の正当性を保証しているあの方法を予告するものであった。この方法は、そうすることを決定づけた特殊な状況もさることながら、それが必要とした下劣なやり口といい、死に到る希望を操る手くだといい、まるで恐ろしい悪夢のように歩一歩とくりひろげられる展開からいっても、はなはだユニークなものである。後年、アル・カポネやバグス・モランが、目のくらむような大金をめぐって、不粋なマシンガンを手に大都会で作戦を行なうことになるのだが、彼らの仕事は低俗だった。ただの縄張り争いにすぎないからである。人数のことをいえば、モレルのほうは千人ばかり、それも固く忠誠を誓った同志たちに命令するようになったのだ。そのうち二百人が幹部会を構成し、命令を下すと、残りの八百人がそれを遂行する。あらゆる危険はこれらの下っぱにふりかかった。騒動の際に、司直に引き渡されるか、足にしっかと石をつけてミシシッピに放りこまれるのも彼らであった。彼らの多くは混血《ムラート》だった。彼らの悪魔的な使命は次のとおりである。

指輪をきらめかせて威圧しながら、彼らは南部の広大な農園を乗り廻す。打ちのめされた黒人に目星をつけて、自由にしてやろうともちかける。もし彼が主人のもとを逃亡して、彼らに自分を売らせれば、売却金の一部を受け取ることができる。次に彼らはふたたび彼の逃亡を助け、今度は自由な州に送り届けてやる。金と自由、じゃらじゃらと鳴る銀貨を手に、何をしてもいい――彼にとってこれにまさる誘惑があったろうか？　奴隷は敢然と最初の逃亡を企てる。

河は自然ルートを提供した。カヌー、蒸汽船の船倉、はしけ、先端に小屋か、いくつかの三角テントをのせた空のようにでっかいいかだ。手段はかまわない、大事なのは、とめどない河の動きと完全さを感じることだ……。黒人はどこか他の農園に売られた。それからふたたび、砂糖黍の茂みか峡谷に逃亡する。そこで彼の恐ろしい恩人たちは（彼らに対して彼は今や深刻な疑惑を抱きはじめているが）よく分らぬ出費を数え上げ、最後にもう一度売られてもらわなければならないと言う。彼が帰って来たら、二度の売却金の一部と自由をやろうと言うのだ。その男は売られ、しばらく働き、猟犬の群れと鞭をものともせず最後の逃亡を試みる。そして血まみれ、汗まみれ、死にものぐるいで、半分眠りながら戻って来る。

最終的解放

さて、こうした行為の法律的側面を検討してみる必要があろう。逃亡奴隷は、彼の最初の主人が、彼を捕えた者に賞金を約束する広告を出すまで、モレルの子分は売りに出すことを控えている。この種の広告は、みつかった場合、発見者がその財産を保持してよいことを保証する。そうなるとその黒人は信託財産となり、したがってその後売りとばしても、単に信託違反、つまり背任であって、窃盗ではない。民事訴訟に訴えても何の役にも立たなかった。損害が補償されたためしはないのである。

こうしたことはすべて非常に心強かったが、といってまったく安全というわけでもなかった。純粋な感謝からか、または不幸のせいで、その黒人が口を割らないとも限らないからだ。たとえばイリノイ州ケアロの売春宿かなんぞで、何しろあばずれ女の息子で生れながらの奴隷と来ているから、くれてやる必要もなかったぴかぴかのドルを湯水のように使い果たしたあげく、ライムギのウィスキー数杯で秘密が洩《も》れるということもある。この頃ずっと、奴隷廃止論者が北部の津々浦々を扇動して廻っていた。私有財産に反対する暴徒の群れが、奴隷の解放を叫び、彼らの逃亡をそそのかした。モレルはそうしたアナーキストどもにまきこまれるようなことはなかった。彼はヤンキーなどではない、白人の息子であり孫である生粋の南部の白人で、いつの日か事業から引退して紳士となり、何マイルにもおよぶ自分の棉畑と、ずらりと列《なら》んでかがみこんだ奴隷たちを持ちたいと願っていたのだ。経験からして、彼は無意味な危険をおかそうとはしなかった。

逃亡奴隷は解放を待っていた。ラザラス・モレルの影のような混血《ムラート》たちは、時にはほんのうなずきだけで仲間うちに命令を伝える。するとたちまち奴隷は解放されるのだ。見ること、聞くこと、触ることから。昼、悪名、時間、恩人たち、憐憫《れんびん》、空気、猟犬の群れ、世界、希望、汗、そして自分自身からも。一発の弾丸、ナイフあるいは鉄拳《てっけん》の一撃が見舞うと、あとはミシシッピの亀《かめ》となまずが最後の証拠を頂戴した。

破局

腹心の部下たちの手で、事業はいやでも繁昌《はんじょう》した。一八三四年のはじめには、モレルはすでに七十人ばかりの黒人を「解放」し、他の多くの者が、これら幸運な先駆者たちのあとに続くのを待機していた。作戦の場が次第に広がったので、新しい加盟者を引き入れることが必要になった。誓約をした新入りの中に、ヴァージル・スチュアートという アーカンソー出身の若い男がいたが、もちまえの残忍さでたちまち頭角をあらわした。スチュアートは、多くの奴隷をおびき出された紳士の甥《おい》だった。一八三四年八月、この若者は誓約を破って、モレルとその一味徒党を密告した。ニューオーリンズのモレルの家は、官憲に包囲された。彼らの手ぬかりのせいか、あるいは恐らく買収したのだろうが、モレルは辛くもその場を逃れた。

三日たった。その間モレルは、トゥールーズ街の、蔦《つた》がはびこり彫像の立ちならぶ中庭のある古い屋敷にひそんでいた。彼はほとんど食物を口にせず、薄暗くだだっぴろい部屋部屋をはだしでしのび歩き、もの思いにふけりながら葉巻をふかしていたらしい。その屋敷の奴隷に託して、彼はナッチェズへ二通、レッド・リヴァへ一通の手紙を送った。四日目に三人の男が加わり、計画を討議しながら夜明けまでとどまった。五日目、モレルは薄暗くなる頃寝床から出て、剃刀《かみそり》を求め、注意深くひげを剃《そ》り落した。それから服を着て家を出た。ゆったりした足取りで、市の北郊を横切った。一旦田舎に出ると、ミシシッピの低地を迂回《うかい》して足を早めた。

彼の計画は大胆不敵なものだった。いまだに彼に尊敬の念を抱いている最後の者たち――南部の気のいい黒人の助力をあてにしたのだ。彼らは以前の仲間が逃亡するところは見ているが、ふたたび戻るのは見ていない。したがって、彼らの自由は本当だと信じていたのだ。モレルの目的は、白人に対して黒人を蜂起《ほうき》させ、ニューオーリンズを占領して掠奪《りゃくだつ》し、その地域を手中におさめることだった。スチュアートの裏切りによって転落し、危うく破滅しかかったモレルは、全国的規模の反響をもくろんだのだ。犯罪行為が一転して救済の義挙にまで高められ、歴史的名声を獲得するに到る起死回生の反響を。こうしたねらいをもって彼はナッチェズに向かって出発し、そこで力を蓄えた。その旅について彼の語るところをここに写してみよう。

おれは四日歩き続けたが、馬を手に入れる機会はまったくなかった。五日目の昼頃、小川にぶつかったので、水を飲んで少し休もうと思った。丸太に腰を下ろして、今来た道を眺めていると、ひとりの男が見事な馬に乗ってやって来るのが見えた。彼を見たとたんに、よしあの馬を奪ってやろうと決めた。おれは立ち上って、きれいな自動小銃をつきつけて、馬から下りろと命令した。男はそのとおりにした。おれは左手で馬の手綱をつかむと、小川を指し、そのまま前へ進めと命じた。男はおよそ二百バラ歩いて止った。おれはそいつの服をぬがせた。そいつは、「もしわしを殺すつもりなら、死ぬ前にお祈りをする時間を下さい」と言った。お前の祈りなんぞ聞いてる暇はないと言ってやった。そいつが膝《ひざ》をついたから、後ろから頭をぶち抜いた。腹をたち割って内臓を引き出し、そいつを小川に沈めた。それから服のポケットを探ると、四百ドルと三十七セントがみつかり、紙きれもいっぱいあったが、調べる手間はかけなかった。そいつの長靴はぴかぴかの新品で、おれの足にぴったりだ。だからそれをはいて、古い靴は小川に投げこんだ。そうやっておれは必要な馬を手に入れ、過去五日間よりはずっとましな恰好《かっこう》でナッチェズへと向かった。

途絶

彼をリンチにかけようと夢みた黒人たちの暴動を率《ひき》いるモレル。彼が率いようと夢みた黒人たちの軍団によってリンチされるモレル——ミシシッピの歴史が、この二つのすばらしいチャンスを、実はどちらも利用しなかったと告白するのは心づらいことだ。その上、あらゆる詩的正義（あるいは詩的均衡）に反して、彼の犯罪の河は、彼の墓とさえならなかった。一八三五年一月二日、ラザラス・モレルはナッチェズの病院で肺炎で死んだ。彼はサイラス・バックリーという名で入院していたのだが、同室の一人の患者が彼に気がついた。二日と四日に、いくつかの農園の奴隷たちが決起しようとした。しかし、たいした流血も見ずに鎮圧された。

真《まこと》とは思えぬ山師　トム・カストロ

「トム・カストロ」とわたしも彼を呼ぼう。なんとなれば、一八五〇年頃《ごろ》、タルカワノやチリのサンチャゴやバルパライソの通りや家で、彼はこの名で通っていたのだから、今彼がこれらの土地に――たとえ亡霊としてなりと、また土曜日の夕刊の付録読物でなりと――立ち戻るに当っては、ふたたびこの名前で登場するのがふさわしいと思われるからだ。ウォピングの戸籍台帳には、アーサー・オートンという名で、一八三四年六月七日生れと記載されている。肉屋の伜《せがれ》に生れ、ロンドンのスラム街で悲惨で味気ない幼年時代を過し、海の誘惑を感じたことが知られている。この最後の件は別に珍しいことではない。「海へ逃げる《ランナウエイ・トウ・シー》」ことは、イギリス人にとって、親の権威からのがれる伝統的な方法であり、男になることである。地理の本がそれを促し、聖書もまた然《しか》りである。「舟にて海にうかび大洋《おおうみ》にて事《わざ》をいとなむ者はエホバのみわざを見また淵《ふち》にてその奇《くす》しき事跡《みわざ》をみる」（詩篇一〇七）。オートンは、住みなれた汚らしい煉瓦《れんが》色の場末の町を離れ、船で海へ乗り出し、お定まりの幻滅を抱いて南十字星をつくづくと眺めてから、チリのバルパライソの港で船をすてた。彼の人がらは、おとなしくて愚鈍だった。理屈からいけば、彼は飢えて死ぬかもしれぬ、いや当然死ぬはずのところだったが、彼の鈍感な機嫌のよさや、たえず浮かべているにやにや笑いや、波のない穏やかさのせいで、カストロという一家の庇護《ひご》を受け、後にその名前を名乗ることになる。この南米での挿話については、これ以上何の痕跡《こんせき》も残っていない。だが彼の感謝の念は薄らがなかったとみえて、一八六一年にオーストラリアにふたたび姿を現わした時、彼はまだこの名、トム・カストロを名乗っていた。そこシドニーで、彼はエベニーザ・ボウグルとやらいう黒人の召使いと知り合う。ボウグルは、とくに美男というわけではないが、落ちついた堂々たる雰囲気、年もとり、肉もつき、威厳もましたある種の黒人たちに典型的にみられる建築的な堅固さを身につけていた。彼にはもう一つ特性があった。それは、たいていの人類学の教科書が彼の種族については否定しているのだが、時として霊感がひらめくのだ。今に、その証拠をお目にかけよう。彼は折目正しく上品な人間で、その太古以来のアフリカ的欲望は、カルヴィニズムの常用または誤用によって、注意深く修正されていた。時々神の訪れを受ける（それについてはやがて述べる）以外は、ボウグルにはこれといって他の人間とちがうところはなかったのだが、ただ、通りをわたる際に、いつの日か自分の命を奪うはずの車を恐れて、東西南北をきょろきょろ見わたしながら、長い間恥ずかしそうにぐずぐずしているというくせがあった。

オートンが彼をはじめて見たのは、ある夕暮れ、人気のないシドニーの街角で、このまったく起こりそうもない死に対して彼が心を鬼にしているところだった。しばらくじっと彼を観察してから、オートンはその黒人に腕をかし、共に驚きながら、二人の男は危険のない街路をわたったのだ。今はなき夕暮れのその瞬間から、保護者と被保護者の関係が生じたのだ——堂々として頼りない黒人が、ウォピング出身のでっぷりしたうすのろを保護するという関係が。一八六五年の九月、二人は地方新聞にのったもの悲しい広告を読んだ。

偶像化された死者

一八五四年四月の末頃(まだオートンがチリで、その地の中庭のようにたっぷりした厚遇の恩恵に浴している間に)、リオデジャネイロからリヴァプールへと航行していた汽船マーメイド号が、大西洋で難破した。遭難者の中に、英国のローマ・カトリックの一名家の世継ぎで、フランス育ちの英国軍人、ロジャ・チャールズ・ティチボーンがいた。信じられないようなことだが、このフランスかぶれの若者——いとも洗練されたパリ風のアクセントで英語をしゃべり、フランス的知性、フランス的機智、フランス的衒《げん》学《がく》趣味のみがひきおこしうる憤激を他人の中にかきたてた男——の死が、ティチボーンなぞたえて目にしたこともないアーサー・オートンの生涯の、宿命的な事件となったのだ。悩めるロジャの母レイディ・ティチボーンは、息子の死を信ずることを拒み、世界中の新聞に悲痛な広告を掲載させたのであった。これらの広告の一つが、柔らかく黒いエベニーザ・ボウグルの掌《て》に落ち、巧妙な計画が案出されたのである。

不一致の効能

ティチボーンは、華奢《きやしや》な体つき、一分のすきもない身なり、面ざし鋭く色浅黒く、くせのない黒髪に生気ある眼、折目正しい言葉遣いという、要するに紳士のかがみであった。オートンはといえば、とてつもない太っちょの、まったくの田舎っぺで、その顔つきはとらえどころがない。そばかすの散った肌にちぢれた茶色の髪、ねむそうな眼、言葉は漠として意味不明である。にもかかわらず、オートンを次のヨーロッパ行きの船に乗せ、息子と称してレイディ・ティチボーンの希望をかなえようという計画が、ボウグルの頭に閃《ひらめ》いたのである。その計画は途方もなく巧妙なものだった。ここでごく簡単な比較を試みてみよう。もし詐欺師が、一九一四年にドイツ皇帝になりすまそうと思えば、まず彼のすることは、ひげをはね上げ、片腕をちぢこめ、眉《まゆ》をひそめて威厳をつくろい、ねずみ色のマントを羽織り、胸には美々しく勲章をかけつらね、尖《とが》った銀のかぶとをいただくという寸法だろう。ボウグルはもっと狡猾《こうかつ》だ。彼なら、ひげをきれいに剃《そ》り落し、軍人臭を取り、派手な装飾をはぎ、左腕も疑問の余地のない正常な状態のまま、皇帝《カイゼル》として押し通すだろう。まあ、比較などはどうでもよろしい。記憶によれば、ボウグルは、阿呆《あほう》の人なつこい笑いを浮かべた茶色の髪の、フランス語のフの字も知らぬふやけたティチボーンを押し出したという。長い間行方不明だったロジャ・チャールズ・ティチボーンに生き写し、などとは土台無理な相談だと彼は知っていたのだ。彼はまた、どれほどうまくとりつくろっても、似せるということは、避けられぬ相違を目立たせるだけだということも知っていたのである。そこでボウグルは、あらゆる相似を避けて通ることにした。そのやり口が真実らしからぬことこそ、陰謀が行なわれていないという充分な証拠になるだろうと彼は直観的に悟っていた。つまり、詐欺師ならば、それほど明々白々たる矛盾を見逃すはずはないからだ。時という全能の協力者も忘れてはならない。幾多の冒険を伴った南半球での十四年が、一人の男をすっかり変えてしまうこともありうるだろう。

もう一つ、決定的な成功の保証があった。つまり、レイディ・ティチボーンの執拗《しつよう》で非常識な広告は、今でも彼女が断じてロジャ・チャールズの死を信じておらず、彼の出現をすぐにも認めたがっていることを示していたからである。

邂《かい》逅《こう》

いつも喜んで手をさしのべるトム・カストロは、レイディ・ティチボーンに手紙を書いた。本人に相違ないことを保証するために、左胸の乳首のそばに二つのほくろがあるというまぎれもない証拠をあげ、また蜜蜂《みつばち》の大群に襲われたという、非常に苦痛にみちた、と同時に忘れがたい、幼時のエピソードも書き添えた。その手紙は短く、またトム・カストロとボウグルにふさわしく、綴《つづ》りにはまったく配慮が欠けていた。パリのホテルの奥深い荘重な一室で、夫人は涙にかきくれてその手紙を再読三読し、二、三日もすると、息子が言って来た思い出を残らず蘇《よみがえ》らせた。

一八六七年一月十六日、ロジャ・チャールズ・ティチボーンは、同ホテルに名乗り出た。召使い、エベニーザ・ボウグルがうやうやしく先導した。冬には珍しく、さんさんと日が照っていた。レイディ・ティチボーンの疲れた眼は、涙にかすんでいた。黒人が窓をさっとあけ放つ。と陽光がマスクをつくり出す。母親は彼女の放蕩《ほうとう》息子を認め、彼をかき抱いてひしと抱きしめた。こうして彼を現実に取り戻したからには、彼がブラジルからよこした日記や手紙などはもはや無用である。それは孤独の十四年の間、彼女を支えて来た大事な形見であったのだが。彼女はそれを堂々と返した。一つ残らず。

　ボウグルはにんまりした。今や彼は、ロジャ・チャールズの温和な亡霊に肉づけする方法を手に入れたのだ。

神のより大いなる栄光のために《アド・マヨーレム・デイ・グローリアム》

　このよろこばしい再会――それはどうやら古典悲劇の伝統に属するもののようだが――は三者、すなわち本当の母親と偽の息子と、図に当った陰謀家、の幸福を確実に、あるいは少なくとも可能にすることによって、われわれの物語の大団円となってもよさそうなものだった。だが運命（というのが、何千となく原因のもつれ合った無数無限の鎖にわれわれの与える名前だが）は別の結末を用意していた。レイディ・ティチボーンが一八七〇年に死ぬと、親族たちがアーサー・オートンに対して詐称のかどで訴訟を起こしたのだ。孤独にも涙にも縁のなかった――貪欲《どんよく》はこの限りではないが――彼らは、オーストラリアくんだりからだしぬけに帰還した、このでぶでろくすっぽ文字も読めない蕩児《とうじ》のことは、初手から信じてなぞいなかったのである。オートンは、無数の債権者たちの支持を当てにしていた。彼らは借金を取り立てたいばかりに、彼こそティチボーンだと決めつけたのだ。

彼は、一家の弁護士エドワード・ホプキンズと、ティチボーン家の歴史にくわしい古物収集家フランシス・J・ベイジェントも頼りにしていた。これではしかしまだ不足である。勝負に勝つためには、世論を味方につけなければならぬ、とボウグルは判断した。シルクハットに蝙蝠傘《こうもりがさ》といういでたちで、霊感を求めて彼はロンドンの高級な街々をさまよった。宵の口だった。ボウグルは歩き廻ったあげく、蜂蜜《はちみつ》色の月が、広場の噴水を受ける長方形の水盤に影を映す刻限となった。待ちに待った霊感が訪れた。馬車を呼び止めると、古物収集家ベイジェントのアパートまでやるように命じた。ベイジェントは長い手紙を「タイムズ」に送って、ティチボーンと称する男は恥しらずな詐欺師だと断言した。署名はイエズス会のグードロン神父とした。同じカトリック信者の弾劾がいくつも続いた。効果覿面《てきめん》。心ある人びとは、サー・ロジャ・チャールズが破廉恥なジェズイットどもの陰謀の的にされたことを、たちまち見抜いたのである。

辻馬車

裁判は百九十日も続いた。百人ほどの証人が、被告はティチボーンに相違ないと証言した――その中には、第六竜騎兵隊の四人のかつての同僚もいたのである。彼の支持者たちは、彼は詐欺漢などではない、もしそうならば、モデルの若い頃の肖像に似せようと何らかの努力をしたはずだという主張をくり返してやまなかった。その上、レイディ・ティチボーンが彼を確認したのだ、母親がまちがうはずのないことは明白である。万事うまくいった、いや、およそうまくいった。がついに、オートンの昔の恋人が証言台に立ったのである。「親族」側のこの卑劣な作戦にもボウグルはびくともしなかった。シルクハットに蝙蝠傘のいでたちで、彼はまたもや霊感を求めてロンドンの街にくり出した。彼がそれを見出《みいだ》したかどうか知る由もない。プリムローズ・ヒルの少し手前で、長い歳月彼を追い求めていた恐怖の車が、闇《やみ》の中からぼんやりと姿を現わした。ボウグルはそれが迫るのを見た、叫び声をあげた、しかし救済は彼を避けた。石の舗道に手ひどくたたきつけられ、やせ馬の目もくらむばかりの蹄《ひづめ》にかけられて、彼の頭蓋《ずがい》はぱっくりと割れた。

亡霊

トム・カストロはロジャ・チャールズ・ティチボーンの亡霊だったが、ボウグルの天才によって操られる哀れな亡霊だった。ボウグルの死を聞くや否や、彼はたちまちくずれた。相変らず嘘《うそ》を続けたが、もはや信念にも欠け、矛盾はあらわである。結末は目にみえていた。

一八七四年二月二十七日、トム・カストロことアーサー・オートンは、十四年の懲役刑の宣告を受けた。監獄の中で彼はだれにも好かれた。これこそオートンの天職なのだ。服役態度良好で、四年の減刑をもらう。この最後の優遇――監獄――を離れた時、彼は英国中の津々浦々を、ささやかな講演をして廻り、交互に無実を訴え、前非を悔いた。慎しみ深さと愛想のよさとがあまりにも根強かったから、常に聴衆の好みに応じて、幾夜も彼は冤罪《えんざい》の訴えからはじめては、罪の告白に終るのだった。

一八九八年四月二日に彼は死んだ。

鄭《てい》夫人　女海賊

女海賊《コルサリーアス》などといえば、たちまち近在の色あせた軽喜歌劇《サルスエラ》の、不都合な記憶を呼びさます危険がある。女中まるだしのコーラスが海賊に扮《ふん》して、まぎれもないボール紙の海原の上で踊ったりする手のやつである。にもかかわらず、女海賊は実在したのだ。船の操縦にも、乗組員の荒くれ男どもの統率にも、外航船の追跡と掠奪《りゃくだつ》にも長《た》けた女たちが。そうした一人がメアリ・リードで、かつてこう言い放ったものだ。海賊稼業はだれにもつとまるものではない、堂々とそれをこなすには、わたしのような胆っ玉が要《い》ると。彼女の経歴の華々しい幕あきに、まだ部下は持たなかった頃《ころ》だが、情夫の一人が船のならず者にいためつけられたことがあった。メアリはその男に決闘を挑み、カリブ海の島々の昔ながらのしきたりに従って、二刀流で立ち向かった。扱いにくい上にあてにならない火打石銃を左手に、手なれた短剣を右手に握って。ピストルは不発に終ったが、剣のほうは相応の働きをした……。一七二〇年頃、メアリ・リードの大胆不敵な生涯は、ジャマイカのサンチャゴ・デ・ラ・ベーガのスペイン軍の絞首台で、あっけなく断たれた。

同じ海域のもう一人の女海賊はアン・ボニーである。彼女は豊満な胸ともえるような赤毛の、気性の烈《はげ》しいアイルランド美人で、体を張って目ざす船に躍りこんだのも一度や二度ではない。彼女はメアリ・リードと船を共にし、ついには絞首台を共にした仲だった。アンの情夫ジョン・ラカム船長も、同じ縄の結び目をくぐった。アンは彼を軽蔑《けいべつ》して、ボアブディル（十五世紀、グラナダ王国最後の王）をなじったアイシャ（ボアブディルの母）よろしくこうののしったものだ。「男らしく戦っていたら、あんたも犬みたいにくびられることはなかったのにさ」

もっと向こう見ずでもっと長生きした三番目は、黄海から安南沿岸の河川まで、アジアの海をまたにかけた女海賊である。すなわち、老練な鄭未亡人のことである。

徒弟時代

一七九七年頃、シナ海域の多くの海賊船団の株主たちが合同して、鄭という、頼りになる練達の士を提督に任命した。この鄭が、あまりにも苛烈《かれつ》な男で、沿岸の掠奪に際しても海賊の鑑《かがみ》のごとくだったから、八十の沿岸の町の住民たちはふるえ上り、貢物と涙をもって、皇帝の援助を乞《こ》い願った。彼らの哀訴はついに皇帝の耳に達した。彼らは、村を焼き払い、漁《すなど》る業《わざ》を忘れ、内陸に移住し、そこで馴《な》れぬ農業にいそしむよう命じられた。彼らはそれを皆守ったので、侵略者たちは裏をかかれ、見出したのは人気のない沿岸の村々ばかり。その結果、海賊たちはやむなく獲物を切りかえて商船を襲ったから、貿易に深刻な打撃を与えることになり、この掠奪のほうが以前のそれよりも、国家的にはいっそう困ることになった。皇帝の政府はただちに動いて、さきの漁民たちに、鋤《すき》や軛《くびき》を捨て、網や櫂《かい》をつくろえと命じた。しかしながら、昔の恐怖を忘れかねたこれら漁民たちは、一揆《いっき》を起こした。そこでお上は別の計を案じた。つまり、鄭提督を特赦して主馬寮《しゅめのりょう》の長官に任じたのである。鄭は危うく買収に乗るところだった。が、このことを辛くも事前に察知した株主たちは、やまがらしの粥《かゆ》の一皿に毒を盛って、彼らの無理からぬ怒りをこめた。珍味が命とりとなり、さきの提督にして幻の主馬寮長官は、その魂を海神に引き渡した。残された彼の妻は、この二重の裏切りによって人が変り、海賊どもを召集して一部始終を物語る。そして皇帝の特赦のまやかしも、毒道楽の株主連中の不愉快きわまる供応も、共にはねつけることを説いた。その代り、自分らだけで商船を掠奪することと、新しい提督を選ぶことを提案した。選ばれたのは鄭未亡人である。彼女はとろんとした眼の、なよなよした女で、笑うと虫歯だらけ、油をぬった黒髪は、眼にない艶《つや》をおびていた。

彼女の冷静な命令一下、船団は危険と荒海に乗り出して行った。

指揮ぶり

その後十三年の組織的冒険が続いた。六つの小船隊が艦隊を構成し、それぞれにちがう色の旗印をなびかせる——紅、黄、緑、黒、紫、そして旗艦のそれは蛇を配している。船長たちはそれぞれ、「鳥と石」、「東海の鞭《むち》」、「乗組員の玉《ぎょく》」、「大漁の波」、「中天の太陽」と呼ばれた。鄭夫人その人によって起草された掟《おきて》は、容赦ない厳しいもので、その簡明率直な文体は、通例中国の公文書に些《いささ》か滑稽《こっけい》な荘重さを与えている色あせた文飾には、まったく縁がない。後者については後で極端な例を一、二お目にかけるが、今のところは、夫人の掟を二、三写すにとどめよう。

敵船から積みかえた全品目は、帳簿に登録し、倉庫に保管すべきこと。分捕者はその荷の五分の一を受け取るものとし、他は倉庫に供託する。この規則にそむく者は死刑。

許可なく部署を放棄した者は、全員の前で耳に穴をうがつ刑に処する。再度同じ罪を犯した者は死刑。

村で捕えた女と甲板上で交接することを禁ずる。いかなる女を凌辱《りようじよく》する場合も、先ず事務長に許可を申請し、しかる後に船倉においてのみ行なうこと。この規則にそむく者は死刑。

捕虜から引き出した情報によると、彼ら海賊どもの糧食は、主として乾麵麭《かんぱん》、人肉で肥らせた鼠《ねずみ》、米飯で、それに戦闘のある時は、隊員たちは酒に火薬をまぜて用いたという。かるた、いかさま骰子《さいころ》ばくち、茶碗と四角い金属片を使った番攤《ファンタン》、ほの暗いランプの下の阿片《あへん》による幻覚、などが彼らの暇つぶしであった。武器としては、両手で使う一双の短剣を好んで使った。他船を襲う前には、頰骨《ほおぼね》と体ににんにくを煎《せん》じた汁をふりかける。弾丸に当らないまじないである。

乗組員は妻を伴って航海したが、船長は五、六人の妾《めかけ》を連れており、それは勝利の度に補充された。

青年皇帝嘉慶《かけい》は語る

一八〇九年の半ば頃、皇帝の布告が発せられた。その最初と最後の部分をここに引き写そう。その文体は広く批判を浴びたものである。

呪《のろ》われし邪悪なる者、日々の糧を粗略に扱う者、収税吏ならびに孤児の叫びに耳をかさぬ者、僭越《せんえつ》にも下着に鳳凰《ほうおう》と竜の縫いとりを施しおる者、経書の偉大なる真理を顧みざる者、北に向かって涙を流す者――かかる輩《やから》がわが河川の通商を阻害し、わが海洋の年来の平穏を乱しておる。航行に堪えぬ破船のゆえに、彼らは日夜、嵐《あらし》に翻弄《ほんろう》される。その目的もまた、情けに欠くるものなり。この輩は今も昔も船乗りの真の友ならず。船乗りに手をかすどころか、凶悪に襲いかかり、破損と滅亡にいざない、また死にいざなう。彼らかくも天の理法を犯すがゆえに、河川は氾濫《はんらん》し、広大なる耕地は冠水し、子は親に背き、雨季と乾季の原則さえ変るにいたる……
……それゆえ、郭郎《かくろう》提督よ、汝《なんじ》に罰の執行を委《ゆだ》ねる。慈悲は君主の大権であり、臣下たる者がその特権を濫用せんとするが如きは僭越であることをゆめ忘れるな。故に、残忍なれ、公正なれ、服従せしめよ、勝利せよ。

航行に堪えぬ破船というさりげない言及は、無論誤りである。それは郭郎の遠征を鼓舞するのが狙《ねら》いであった。約九十日後、鄭夫人の軍勢は、中央の皇帝軍と相見《まみ》えた。千隻にもおよぶ艦船が戦闘に参加し、日の出から日没までたたかった。戦闘に伴って大砲が轟《とどろ》き、鉦《かね》、太鼓、悪罵《あくば》、銅鑼《どら》、予言の声などが一斉に起こって入りまじった。皇帝軍は寸断された。禁止された慈悲も、推奨された苛酷さも、共に行使する機会がなかった。郭郎は、今日敗軍の将があえて無視する作法を守った。すなわち自殺を遂げたのである。

恐怖の河川沿岸

勝ち誇った未亡人麾下《きか》の六百の戦艘《せんそう》と四万の海賊どもは、勝ちに乗じて西江《シージャン》の河口を遡《さかのぼ》り、右舷《うげん》に左舷に、焼打ちと恐怖の饗宴《きょうえん》と孤児の数とを増していった。村々はことごとく破壊された。その中の一つだけ取っても、捕虜の数は千を超える。百二十人の女たちが近くの葦《あし》の茂みや水田にあわてて隠れたが、赤児の泣き声でみつけられて、後に澳門《マカオ》で奴隷に売られた。かなり遠くへだたってはいたものの、この掠奪のもたらした涙と死別の悲しみとが、天子嘉慶の注目するところとなった。もっとも、この悲痛な叫びも、征討軍にふりかかった災難ほどは宸襟《しんきん》を悩まさなかったと主張する史家もある。それはさておき、彼は第二回の遠征隊を組織した。旗さしもの、水夫、兵士、装備、糧食、易者、占星術師、いずれにおいても選りぬきの軍隊を。この度の命令は丁魁《ていかい》なる男に降下した。あたりを圧する船団が西江の河口へと乗り入れるや、海賊船団の退路を遮断する。夫人は戦闘準備をととのえた。今度は困難で、勝ち目のない戦さになる、と彼女は知っていた。夜ごと月ごと掠奪と無為に明け暮れたために、彼女の部下は弱っていた。

戦闘開始は引き延ばされた。のろのろと、さざ波立つ葦の間に日は昇り日は落ちた。男たちとその武器は満を持している。真昼は重く、午後ははてしない。

竜と狐《きつね》

とはいえ、毎夕、皇帝の船団から舞いあがった軽やかな竜の群れが、空高く漂い、やがて敵船の甲板やまわりの海にふわりと落ちて来た。それは薄紙と葦でできた軽いもので、彗星《すいせい》を思わせ、銀色や朱色の表面には、同じ字がくり返されている。鄭夫人は、夜ごとの流星の流れを眉《まゆ》をひそめて凝視し、そこに長くてこみ入った竜の寓話《ぐうわ》を読み取った。長年にわたる狐の忘恩と度重なる過ちにもかかわらず、いつも保護してやった竜の話である。空の月は次第に細くなり、夜ごと紙と葦の細工は、目に見えぬほどの変化を示しながら、同じ物語を語り続けた。夫人の心は千々に乱れ、思いに沈んでいった。月が、空と、赤がかった水面でふたたび満ちた時、物語は終りに達したようであった。狐に下るのがはたして無限の許しなのか無限の刑罰なのか、誰《だれ》にも予測はつかなかったが、結末は容赦なく近づいていた。夫人はついに諒解《りようかい》した。彼女は二本の刀を川に投じ、小舟の底にひざまずいて、皇帝軍の旗艦に漕《こ》ぎ寄せるように命じた。

あたりは暗かった。空には竜が満ちている――今度はそれは黄色だった。乗り移った時夫人は短くつぶやいた。「狐は竜の庇護《ひご》を求めます」

礼　賛

狐は赦《ゆる》しを受けて、その余生を阿片貿易に捧《ささ》げた、と史家は書いている。彼女はまた、寡婦であることをやめ、「教化の鑑《かがみ》」という意味の名を名乗った。

この時期より（と中国の年代記作者は記している）船舶は静穏に往来をはじめた。河川はすべて穏やかに、四海は波静かとなった。

人民は武器を売り、田野を耕すために牛を買った。犠牲《いけにえ》を埋め、丘の頂きで祈りを捧げ、ついたてのかげで歌いさざめきながら、昼日中から歓楽の限りをつくした。

不正調達者　モンク・イーストマン

こちら南米では

青い壁が高い空を背景に、くっきりと浮かび上る二つの影。ぴっちりした渋い黒の上下に身を包み、踵《かかと》の高い靴をはいた二人のならず者が、死の舞踏――一対のナイフのバレエ――を踊る。やがて一方のナイフが突き立てられると、片方の男の耳からカーネーションがとび散り、地上に横たわる彼の死と共に、この無伴奏の舞踏は終るのだ。満足した相手はシルクハットをかぶり直す。そして晩年この公明正大な決闘の話を、くり返し語って過すことになるだろう。以上が、つまるところ、わがアルゼンチンのかつての暗黒街の歴史である。ニューヨークの昔の暗黒街のそれは、もっと目くるめくものだが、同時にもっと不様である。

あちらでは

ニューヨークのギャングの歴史は(一九二八年、ハーバート・アズベリが、八折判四百ページのりっぱな本に明らかにしたように)、蛮族の天地創造神話のようなあらゆる混沌《こんとん》と残虐性と、巨人的規模の愚行の数々を網羅している。黒人長屋に仕切られた古いビール醸造場の地下倉庫。がたぴしした三階建てのたてこむニューヨークの裏町。迷路じみた下水道をたまり場にしていた「泥沼の天使」のような犯罪組織。十や十一のませた殺し屋をかき集めていた「暁小僧」のような暴力団。大胆不敵の大男「シルクハットの醜男《ぶおとこ》兄弟」のような一匹狼《おおかみ》たち——彼らは羊毛のつめものをしたばかでかいシルクハットを、ヘルメットのように耳の下まで引き下げ、ズボンからはみ出した長いワイシャツの裾《すそ》を場末の風にはためかせて、道行く人の失笑を買ったものだ。もっとも、片手には棍棒《こんぼう》を握り、ポケットにはピストルをのぞかせていたが。喧嘩《けんか》にくり出す時は、串《くし》刺《ざ》しにした兎《うさぎ》の旗印をおしたてた「死んだ兎」のような暴力団。カールしてポマードで額にはりつけた前髪や、握りを猿の形に彫ったステッキ、敵の目玉をくり抜くために自分で発明し、親指にはめて使った銅の細工で有名な「ダンディの」ジョニー・ドーランのような男たち。二十五セント出せば、ただ一口で生きた鼠《ねずみ》の頭を喰《く》いちぎってみせたキット・バーンズ。若くてブロンドで濁った大きな眼《め》をした「盲目の」ダニー・ライアンズ、彼は三人の女のひもだったが、その三人とも彼のために誇らしげに街に立った。窓に紅灯のゆれる売春宿の列の中には、ニュー・イングランドの出で、毎年クリスマス・イヴの売り上げを慈善事業にふりむける七人姉妹の経営する店もあった。飢えた鼠を犬にけしかける見せもの小屋。中国人の賭博《とばく》場。何度も後家になった「赤毛の」ノラのような女たち、彼女は実のところゴファ組全員の自慢の情婦だったのだ。ダニー・ライアンズが処刑された時、未亡人の喪服を着て、亡き盲目の旦那《だんな》の昔の愛を競っているうちに、「おとなしい」マギーにのどを刺されて死んだ「小鳩《こばと》の」リジーのような女たち。一八六三年、一週間も荒れ狂った徴兵反対の暴動——その時は百もの建物が焼け落ち、ニューヨークは暴徒に危うく乗っ取られそうになったものだ。街路にあふれ返ったやくざ出入り——海に溺《おぼ》れるように男が沈むと踏み殺された。黒人ヨスクのような馬殺しの泥棒。こうした連中が、ニューヨークの暗黒街の混沌の歴史を織り上げる。中でももっとも有名な英雄が、エドワード・デラニーことウィリアム・デラニーことジョゼフ・マーヴィンことジョゼフ・モリスことモンク・イーストマン——千二百人の配下を従えたボスである。

英　雄

これら数々の偽名にも（仮装舞踏会のように誰が誰だかまぎらわしいが）、彼の本名――この世に本名と称するものがあるとして――はいっていない。戸籍簿に記載されているところでは、彼はブルックリン区のウィリアムズバーグ生れ、名はエドワード・オスタマン、後にアメリカ風にイーストマンと改めた。珍しいことに、この激しい気性の暗黒街の顔役はユダヤ人だった。コウシャの経営者の息子である。コウシャとはユダヤ料理のレストランで、ラビみたいなひげを生やした男たちが、お清めをして殺した仔《こ》牛《うし》の、血抜きした上三度も洗った肉を安心して食える所である。一八九二年頃《ごろ》、十九の年に、父親が小鳥屋を開業させてくれた。動物愛好、つまり、小さな決意や測りしれない無心さへの興味は、彼の終生の道楽となった。後年、羽振りのよかった時期、その頃彼はそばかす面のタマニー派のおえら方のさし出すハバナ葉巻をにべもなく断わったり、あの新発明の自動車（ゴンドラの私生児みたいなやつ）で一番いい売春宿に乗りつけたりしたものだが、彼はかくれみののための副業として鳥獣店をはじめた。そこには百匹のほっそりとした猫と四百羽以上の鳩がおいてあったが、どれも売り物ではない。彼はそのどれをも可愛《かわい》がった。そして、満足げな一匹の猫を小脇《こわき》にかかえ、せっせと後を追う数匹を従えて、よく近所を散歩したものだった。

彼は傷だらけの大男であった。短い猪首《いくび》、分厚い胸板、長くて喧嘩《けんか》っ早い腕、つぶれた鼻。顔は一面傷だらけだが、それとても体ほどひどくはない。脚はカウボーイか水夫の脚のように彎曲《わんきょく》している。シャツや上衣を着ないことはあっても、まんまるな大頭に二まわりも三まわりも小さい山高帽をちょこんとのっけていないことはなかった。人類は今も彼の記憶を保存している。映画のガンマンによくある体つきは彼をモデルにしたもので、ずんぐりした、男のくせに女みたいなカポネがモデルではない。ハリウッドがルイス・ウォルハイムを雇ったのも、彼の風貌《ふうぼう》が亡きモンク・イーストマンをしのばせたからだと言われている……イーストマンはよく大きな青い鳩を肩にとまらせて彼の暗黒の王国をのし歩いたものだが、それはちょうど、尻《しり》にむくどりをのせた牡牛《おうし》を思わせた。

一八九四年頃、ニューヨークにはダンスホールがごろごろあった。イーストマンはその一つに用心棒として雇われていた。こういう話がある。あるダンスホールのマネジャーが彼を雇うのを断わった。するとモンクは、その勤め口を邪魔だてした二人の大男を床にのして、仕事への能力を証明してみせたという。誰《だれ》の手もかりず、あたりを睥睨《へいげい》しながら、彼は一八九九年までその地位を守った。

厄介者を始末する度に、彼は血なまぐさい棍棒に刻み目を入れる。ある晩、つつましやかに黒ビールを傾けていたてかてかの禿頭《はげあたま》に目を止めると、一撃の下にその頭の持主をのしてしまった。「もう一つで刻み目が五十になったのさ」と後で彼は説明した。

縄張り

一八九九年以後のイーストマンは、その名を知られたばかりではない。選挙期間中は重要な選挙をまかされていたし、縄張り中の売春窟《くつ》、賭博場、街娼《がいしょう》、すり、泥棒から、上納金をまき上げるまでになっていた。悪徳政治家連は騒ぎをひき起こすために彼を雇った。個人またしかり。ここに掲げるのは彼の料金表の一部である。

片耳切り落し　一五ドル
脚折り　一九ドル
脚ぶち抜き　二五ドル
刺し　二五ドル
大仕事　一〇〇ドル以上

時には、腕をなまらせないために、イーストマン自ら委託業務を遂行した。

境界線問題（これが国際法上未決でひしめいている問題と同じく微妙かつ厄介なのだ）から、イーストマンは、ライバル組織の有名なボス、ポール・ケリーと敵対するようになった。二つの組織が弾丸の撃ち合い殴り合いをやったあげく、ある場所の縄張りをやっと決めたところだった。ところがある朝早くイーストマンがこの境界を一人で越えて、ケリーの配下五人に襲われたのだ。続けざまにゴリラのような腕と棍棒をふり下ろして、モンクは相手の三人を打ちのめしたが、自分もとうとう腹に二発くらって倒れた。敵は彼が死んだものと思って引き揚げた。イーストマンは、親指と人差し指で痛む傷口を閉じて、よろめきながらカヴァナー病院へころがりこんだ。そこで数週間、命と高熱と死が彼を奪い合ったが、下手人については頑として口を割らなかった。退院した時も、抗争は真っ最中で、一九〇三年の八月十九日まで、華々しい撃ち合いはやまなかった。

リヴィントン街の決闘

警察の前科者名簿の中の色褪《あ》せた顔写真とは、それぞれ少しずつちがっている百人の英雄。煙草《タバコ》とアルコールの匂《にお》いをぷんぷんさせた百人の英雄。はでな色のリボンを巻いた麦藁《むぎわら》帽をかぶった百人の英雄。恥ずかしい病気や、虫歯、喘息《ぜんそく》、腎臓病に多かれ少なかれ冒されている百人の英雄。トロイやブル・ラン（ヴァージニア州北東部の川。南北戦争の戦跡（一八六一、一八六二）。二回とも北軍が敗北した）のそれのように、取るに足らぬのもいれば華々しいのもいる百人の英雄。これら百人が、二番街高架線のアーチの蔭《かげ》で、無法の武勲をいっせいに競う。原因というのは、モンク・イーストマンの友人の、遊戯場の経営者に、ケリーの配下のガンマンどもが上納金を強要してきたからで。ガンマンの一人が殺される、と続いて起こる弾丸の応酬が、たちまち無数の拳銃《けんじゅう》の火を吹く大乱闘へとふくれ上った。高架線の橋脚の後ろに身をひそめたひげ剃《そ》りあとの青い男たちが、互いに狙《ねら》いすまして射ち合っていたが、やがて、おのおの拳いっぱいにコルトを握りしめ借りた自動車にぎゅう詰めに乗ってかけつけた加勢の男たちが、それをぐるりと取り囲んだ。この乱闘の主人公たちはいったい何を思っていたのだろう？　第一に（わたしの信ずるところでは）、百の拳銃の無情の轟音《ごうおん》が、今にも自分をうち倒すだろうという動物的確信。第二に（わたしの信ずるところでは）、もし最初の弾丸がそれれば、その後は不死身だというこれまた前のに劣らぬ間違った確信。しかしながら、疑いのないところは、鉄柱と闇《やみ》にかくれて、彼らが徹底的にたたかったということである。二度警察が介入しようとしたが、二度とも押し返された。最初の曙光《しょこう》と共に、戦いはぷっつりとやんだ。まるで、猥褻《わいせつ》な行為か幽霊ででもあったかのように。高架線の大アーチの下には、七人の重傷者と、四つの屍《しかばね》と、一羽の死んだ鳩とが残った。

きしみ

地区の政治家どもは、モンク・イーストマンをいいように使いながら、表向きは常にそのようなギャング団の存在を否定したり、あるいはあれは単なる賭博好きのクラブだと言い張っていた。あの無分別なリヴィントン街の乱闘のせいで、彼らは警戒するようになっていた。休戦の必要を説くために、彼らはイーストマンとケリーの会談を斡旋《あっせん》した。ケリーは（警察の行動を抑える段になれば、コルトを何挺《なんちょう》束にしたよりタマニー協会のほうが効果があるとよく知っていたので）すぐに応じた。一方イーストマンのほうは（獣のような巨体の誇りにかけて）、威勢のいい喧嘩をもっと続けたがった。彼が斡旋を断わったので、政治屋連は刑務所をもちだして脅しをかけねばならなかった。ついに、とある酒場で、悪名高い二人のギャングがにらみ合った。おのおの大きな葉巻をくわえ、片手を拳銃にかけて、油断なく見張る子分どもにぐるりと取りまかれて。彼らはいかにもアメリカらしい結論に達した。つまり、拳闘で決着をつけようというのである。ケリーは老練なボクサーだった。決闘はブロンクスの倉庫で行なわれたが、まことに型破りなものだった。百四十人の見物が観戦する。その中にはいきな山高帽をかぶったギャングが、途方もなく大きく髪をゆい上げた情婦を連れており、その頭にははじきがかくされていたりした。二人は二時間闘ったが、結局引き分けに終った。一週間もたたないうちに撃ち合いが再開された。これでn度目にモンクは逮捕された。タマニー協会の親分衆も、大いにほっとして彼と手を切った。裁判官は至極正当に、懲役十年の刑を宣告した。

イーストマン対ドイツ

モンクが途方にくれてシンシン刑務所を出獄した時、千二百人の彼の配下は、ちりぢりに分れて組を作り、互いに抗争していた。組織を再建する力もないまま、彼はひとりで仕事をはじめた。一九一七年九月八日、公道で騒乱をひきおこしたかどで、彼はまたもや逮捕された。翌九日、より大きな騒乱に参加しようと決心して、ニューヨーク州軍第一〇六歩兵連隊に入隊した。何カ月もたたぬうち、連隊と共に船で積み出された。

従軍中のさまざまな逸話をわれわれはよく知っている。彼が敵を捕虜にすることに激しく反対したこと、そして一度なぞは（ほんの銃の台じりで）その憤慨すべき慣行を邪魔したことも知っている。負傷した三日後に何とか病院を抜け出し、前線の塹壕《ざんごう》に復帰したことも知っている。モンフォーコン周辺の戦闘で赫々《かっかく》たる武勲をたてたことも知っており、また後にこう述べたことも知っている。バワリー街あたりのたくさんの小さなダンスホールのほうが、ヨーロッパの戦争よりもずっと手に余ると。

謎《なぞ》の、しかし論理的な結末

一九二〇年のクリスマスの明け方、モンク・イーストマンの死体がニューヨークのとある下町の通りで発見された。五つの弾丸による傷を受けていた。幸福にもその死に気がつかず、一匹のうす汚い猫が、途方にくれて死体のまわりをうろついていた。

動機なしの殺人者　ビル・ハリガン

何よりもまず第一に浮かんでくるアリゾナの荒野のイメージ、アリゾナとニュー・メキシコの荒野のイメージは、金鉱や銀鉱で名高い土地、目くるめくばかり空漠たる土地、そそり立つメーサと微妙な色合いの土地、禿鷹《はげたか》にきれいに啄《ついば》まれた骸骨《がいこつ》が白く光っている土地である。こうした土地の上に、もう一つのイメージがだぶる、ビリー・ザ・キッドのそれである。人馬一体の名騎手、泣く子も黙る無情の六連発銃をかまえた若いガンマン、その弾丸は魔法のように遠くから、目にもとまらず飛んで来る。

貴金属の鉱脈が網の目のように走り、乾燥してぎらぎらと輝く砂漠。二十一で死ぬ時、成人法に対して二十一の死――それも「メキシコ野郎は勘定に入れないで」――の借財を負うていた子供同然の若者。

幼虫期

一八五九年頃《ごろ》、後に恐怖と栄光のビリー・ザ・キッドとして鳴らした男は、ニューヨークの安アパートの地下室で生れた。くたびれたアイルランド女の胎《はら》から産みつけられたという話だが、黒人の中で育った。その臭《にお》いとちぢれ毛の混沌《こんとん》の中で、彼はそばかすの見える肌とふさふさした赤毛をもっていることから来る優越感を楽しんでいた。白人であることが誇りだったのだ。彼はまたやせっぽちで、乱暴で、粗野だった。十二の年には、もう「泥沼の天使」にはいって戦っていた。あの地下の下水道で作戦していた神々の一団である。熱い靄《もや》のたちこめる夜、彼らは悪臭芬々《ふんぷん》たる迷宮から這《は》い出て、ドイツ人の水夫なんぞの後をつけ、頭をぶん殴ってのばし、身ぐるみはいでから、こっそりともと来た不潔な場所へ戻って行く。彼らの親分は白髪の黒人の「ガス・ハウス」のジョウナスで、これも馬殺しとして有名だった。

時には、海岸通りのいかがわしいバーの屋根裏の窓から、女がバケツの灰を通行人の頭にぶちまける。哀れな犠牲者は咽喉《のど》がつまって慌てふためく。たちまち「泥沼の天使」たちが襲いかかって男を地下室にひきずりこみ、むしり取ってしまう。

ビル・ハリガン、未来のビリー・ザ・キッドの徒弟時代はこんなものだった。またバワリー街の芝居小屋のだしものも、馬鹿《ばか》にしたわけではない。とりわけ（彼の運命を象徴するとはおそらく夢にも知らず）カウボーイのメロドラマを好んで見た。

西部《ゴー・ウエスト》へ！

ぎっしりつまったバワリー街の芝居小屋（そこの天井桟敷のごろつき共は、開幕が一分でも遅れようものなら、「そのオンボロ幕をあげろ！」とがなったものだ）が、こうしたカウボーイやガンマンのメロドラマばかりやっていたことについては、当時のアメリカが遥《はる》かなる西部の魅力にとりつかれていたからだといえば、事情ははっきりするだろう。入り日の向こうには、ネヴァダやカリフォルニアの金鉱がある。入り日の向こうには、アメリカ杉が斧《おの》を待っている。バッファローの魁偉《かいい》な顔。ブリガム・ヤングのビーバー・ハットと一夫多妻主義、インディアンの儀式と嵐《あらし》のような襲撃。砂漠の澄んだ空気。果てしない放牧地。そして大地そのもの、それを身近に感ずると海の近くにいるように胸の鼓動が高鳴るのだ。西部は招く。この頃、一つの噂《うわさ》がゆっくりとしかし着実に広まっていった——何千というアメリカ人が西部を席巻《せっけん》しつつあるという噂が。その行進の中に、一八七二年頃、ビル・ハリガンもいた。ガラガラ蛇のように端倪《たんげい》すべからざるこの男は、四角い蜜房《みつぼう》からとび出したのである。

メキシコ野郎を撃つ

歴史は（ある種の映画監督がやるように、断片的なイメージの積み重ねで進行するものだが）、今度は荒海にも似た圧倒的な砂漠の只中《ただなか》にある、危険な酒場の映像を出して来る。時は、一八七三年の風吹きすさぶ夜。所は、ニュー・メキシコの大高原《リャーノ・エスタカード》。見渡すかぎり、大地は不自然なくらい平坦《へいたん》だが、嵐をはらんで重なる雲と月を浮かべた空には、あちこちの裂け目から空隙《くうげき》と山がのぞいている。そこには牛の頭蓋骨《ずがいこつ》がころがっている、暗がりの中でコヨーテが吠《ほ》え、眼が光る、手入れの行き届いた馬が数頭、そして酒場の入口から四角い光がのびている。店の中では、カウンターに寄りかかって、たくましいが疲れた一団の男たちが、血を騒がせる酒を飲んでいる。と同時に、彼らは蛇と鷲《わし》のついた大きな銀貨を見せびらかしている。酔っぱらいがひとり、無表情に低く歌を口ずさんでいる。男たちの中に、やたらS音の響く言葉を話すのが何人かいる。スペイン語にちがいない。それを話す者は見くだされているから。頭の赤い長屋ねずみのビル・ハリガンが、飲み助たちの中に立っている。もう二杯のアグアルディエンテ酒をあけて、もう一杯頼もうかと思案している。たぶんもう一セントも残っていないのである。彼は、これらの砂漠の男たちに何やら気圧《けお》されている。彼らは堂々としていて、騒々しくて、陽気で、暴れ牛や大きな馬の扱いにかけては憎らしいほどうまいと思う。だしぬけにしんと静まり返る。それを破るのは、調子はずれに歌っている酔っぱらいの声だけだ。誰かがはいって来た――インディアンの老婆の顔をした大きながっしりしたメキシコ人。とてつもなく大きなソンブレロをかぶり、腰には二梃拳銃《にちょうけんじゅう》。へたくそな英語で、彼はそこで飲んでいるアメリカ野郎ども一同に、夜の挨拶《あいさつ》をする。誰ひとり挑発に応じない。ビルがあれは誰だと聞くと、彼らはおびえながら、あのスペイン野郎はチワワのベリサリオ・ビリャグランだと囁《ささや》く。たちまち、一発の銃声が鳴りひびく。背の高い男たちの蔭から、ビルがその侵入者に向かって射ったのだ。ビリャグランの手からグラスが落ちる。続いて男自身がくずおれる。もう一発見舞うには及ばなかった。死んだきざな男には目もくれず、ビルはさっきの会話の続きを取り上げる。「そうなの？」と気取った話し方をする。「ところで、おれ、ビル・ハリガンってんだ、ニューヨークから来たのさ」。酔っぱらいは意味もなく唄《うた》い続ける。

彼がたちまち英雄にまつり上げられたことは想像に難くない。ビルは握手攻めに合い、讃辞《さんじ》と喚声《かんせい》とウィスキーを受ける。誰かが、彼の拳銃の取っ手に刻み目がないことに気づき、ビリャグランを殺《や》った記念に一つ入れようじゃないかと申し出る。ビリー・ザ・キッドはそいつのナイフを受け取ったが、こう言い放つ。「メキシコ野郎の分なんぞ、わざわざ刻むほどの価値はねえやな」。これだけでは、たぶん、足りないだろう。その夜、ビルは死体のそばに毛布を敷いてこれ見よがしに――明け方まで眠った。

殺人のための殺人

この幸運な一発（十四の年の）を境に、英雄ビリー・ザ・キッドが誕生し、こそ泥ビル・ハリガンは死んだ。下水道をアジトにした追剝《おいはぎ》小僧は、辺境にのし上ったのだ。彼はひとりで乗馬術を身につけた。体を後ろに倒すオレゴン流やカリフォルニア流ではなく、鞍《くら》の上に真っ直ぐ坐《すわ》るワイオミングまたはテキサス流の乗り方を覚えた。彼はけっして完全に伝説どおりではなかったが、それに近づきつつあったのだ。とはいえ、ニューヨークのならず者のいくらかの要素が、カウボーイの中に住み続けた。以前黒人によってかき立てられた憎悪を、彼はメキシコ人に向けかえたのだ。もっとも、彼の生前最後の言葉（悪態）は、スペイン語であったが。牛追いの放浪生活の技術も覚えた。彼はまたもう一つの、よりむずかしい技術、人間の御し方も学んだ。これらは両々相まって、彼を優秀な牛泥棒に仕立てた。時どき、メキシコのギターと売春宿が彼の足を引き止めた。

不眠症ですさまじく眼が冴《さ》える時は、人を多勢集めてどんちゃん騒ぎをし、それはしばしば四日四晩に及んだ。しまいには、飽きあきして、弾丸で勘定をすませた。引き金にかける指が健在の間は、彼は全辺境でもっとも恐れられた（そしてたぶんもっともつまらぬもっとも孤独な）男だった。彼の友人で、後に彼を殺すことになる保安官《シェリフ》パット・ギャレットが、彼にこう言ったことがある。「おれはバッファローを射ってさんざライフルの腕を磨いたもんだ」「おれはもっと六連発の腕を磨いたよ」とビリーはつつましく答えた。「人間を射ってね」。詳細は今となっては復元不可能である。しかし、二十一件の殺し――「メキシコ野郎は勘定に入れないで」――までは彼に責任があることが分っている。命知らずの七年間、彼は大胆不敵、ほしいままに振舞った。

一八八〇年七月二十五日の夜、ビリー・ザ・キッドはかすかす栗毛の馬にまたがって、フォート・サムナーの大通り、というか唯一の通りを駆けて来た。暑さは堪えがたく、ランプにはまだ火が入っていなかった。保安官《シェリフ》ギャレットはポーチの揺り椅子《いす》に坐っていたが、拳銃を抜いて発射すると、弾丸はキッドの腹を貫通した。馬は駆け続ける。騎手は道路の砂埃《すなぼこり》にころがり落ちる。ギャレットが二発目を射つ。町の人びとは（負傷したのがビリー・ザ・キッドだと知って）窓の鎧戸《よろいど》に固く錠を下ろす。断末魔のうめきは長く、瀆神《とくしん》の言葉にみちていた。すでに日も高くなってから、人びとはこわごわ近寄りはじめ、武器をもぎ取った。男は死んでいた。顔には、死者特有の疲れはてた表情が見えた。

彼はひげを剃《そ》られ、間に合わせの服に包まれて、フォート・サムナー最大の店のウィンドウでさらし者になり、畏怖《いふ》と嘲笑《ちようしよう》を浴びた。馬やら無蓋《むがい》の軽二輪馬車やらに乗った男たちが、何マイルも離れた四方から押しかけた。三日目には、化粧をほどこさねばならなかった。四日目に、お祭り騒ぎで埋葬された。

不作法な式部官　吉良上野介《きらこうずけのすけ》

この物語の恥さらしな主人公は、吉良上野介という不作法な作法指南役で、彼は赤穂《あこう》城主の官職剝奪《はくだつ》と死を招き、後に、当然の報いで仇討《あだう》ちに見舞われた時も、武士として切腹することを拒んだ不幸な役人である。彼はしかし、全人類の感謝に価する人物なのだ。なんとなれば、痛切な忠義の心を呼びさまし、不滅の偉業のために必要な凶事を用意したのであるから。百にものぼる小説、研究、博士論文、歌舞伎がその壮挙を讃《たた》えている——磁器、七宝、蒔絵《まきえ》の画題として広くゆきわたったのは無論のことである。その物語は変幻自在な銀幕にも使われている。『実録忠臣蔵』——というのがその名だが——は日本映画の汲《く》めども尽きぬ霊感の声なのである。これらの熱烈な関心が保証しているように、この綿密な考証に裏づけられた名声は正当化を必要としない——それはたちどころに正義として人の胸をうつのである。

わたしはA・B・ミトフォードの翻訳に従ったのだが、これは読者の気を散らさせる地方色の侵入を排除して、この栄光のエピソードの大筋の展開を追うことに専念している。このように東洋趣味を欠いていることが、かえってわたしに、日本語からじかに訳していることを納得させるのである。

ほどけた紐《ひも》

過ぐる一七〇二年の春、名高い赤穂の城主浅野内匠頭《たくみのかみ》は、勅使接待と饗応《きょうおう》の役を仰せつかった。二千三百年にわたり（そのうちいくらかは神話時代だが）磨きぬかれた礼法は、その日の式次第を事こまかに定めていた。勅使は帝《みかど》を代表するのだが、その方法はあくまで明らさまでない象徴的なもので——過ぎてもいけず、及ばざるもいけない微妙なところである。ひとつまちがえば命にもかかわる失敗を防ぐために、勅使下向に先立って江戸表から作法指南役として高官が派遣された。宮廷の安逸から遠く離れて、流《る》謫《たく》にも似た田舎暮しを強いられた吉良上野介は、不承不承指示を与えていた。時に彼の居丈高な口調が昂《こう》じて横柄にさえなることがある。弟子である城主は、この無礼を無視しようと努めた。応答の仕方も分らぬまま、強い義務感が辛うじて爆発から彼を引き止めていた。ところが、ある朝、師の沓《くつ》の紐がほどけ、城主にそれを結ぶことが求められた。心中怒りに燃えながら、ぐっと抑えて彼は従った。無礼な礼儀指南は、「まことに教え甲斐《がい》のないお人」で、「こんな不様な結びようをするのは下郎だけだ」と言い放つ。城主は小刀を抜くや、師の顔目がけてはっしと打ち下ろした。上野介は逃げた。額にかすかな血の糸を引きながら……。数日後、武家評定所の裁定が決まり、内匠頭は切腹を仰せつけられた。赤穂城本丸の中庭に、緋毛氈《ひもうせん》を敷いた壇が設けられ、その上に死罪を申しわたされた主人公が姿を現わす。彼は宝石をちりばめた黄金の小刀を手渡され、公におのが罪状を認め、もろ肌を脱ぎ、作法どおり腹十文字にかっさばいて、武士《サムライ》らしく死んだが、遠くの見物には、緋毛氈のために血の色は見分けられなかった。白髪の細心な男が、白刃一閃《いっせん》、頭を切り落した――介錯人《かいしやく》、家老の大石内蔵助《くらのすけ》である。

見せかけの醜態

内匠頭の領地は没収、家臣は、離散、一家は零落、先祖代々の名は呪詛《じゅそ》の的となった。主君切腹のその夜、四十七人の家臣が山奥の出城に会して、やがて一年後に実現するはずの挙を、最後の一点まで綿密に計画した、と一般に伝えられている。実のところは、彼らは一歩一歩、大変に注意深くことを進めねばならなかったのだし、何回かの会合は、人を寄せつけぬ山頂などではなく、小さな森の中の社《やしろ》――鏡を入れた四角い箱のほかには装飾とてない、白木の粗末な社殿で行なわれたのである。彼らは復讐《ふくしゅう》を望んだが、その復讐はとうてい手の届かぬものに思えたにちがいない。

憎しみの的である作法指南、吉良上野介は、邸《やしき》の守りを固めており、外出する時は、弓の上手、剣術の達人が、雲のごとく駕籠《かご》をとりまいて警護に当った。彼はまた間者たちを頼りにしていたが、彼らは忠誠、細心、忍びの術にも長じている。彼らは誰《だれ》にもまして、一味の頭《かしら》とみられる家老内蔵助に注目し、その動静を探った。彼がそのことに気づいたのは、ふとした偶然からだが、以後、この事実に即して計画をたてることになる。

内蔵助は京都に居を移した。秋色にかけては海内にならぶもののない町である。彼は悪所、賭場《とば》、茶屋で放蕩三昧《ほうとうざんまい》にふけった。髪には白いものがまじっているのに、遊女や詩人や、さらにいかがわしい人種とつき合った。一度などは、茶屋から放り出されて、倒れるなり往来でねこんでしまい、おのれのへどにまみれて夜を明かしたこともある。

ひとりの薩摩《さつま》藩士がたまたま通りかかってこの醜態を目撃し、悲憤慷慨《こうがい》してこうののしった。「これはこれは、誰かと思えば大石内蔵助殿ではござらぬか。浅野内匠頭の家老とて、主君切腹の折は介錯まで勤めながら、殿の無念を晴らそうともせず、酒色に耽《ふけ》り、恥をさらすとは。武士《サムライ》の風上にもおけぬ男よ！」

言いざまねている彼の顔を踏みにじり、唾《つば》を吐きかけた。間者からこの件の報告を聞いて、上野介はほっと太い安堵《あんど》の吐息をついた。

ことはそこで終ったわけではない。家老は妻と次男を国許《くにもと》へ送り返し、遊廓の女を身請けして妾《めかけ》にした。この名高い破廉恥行為は敵を喜ばせ、警戒心をゆるめさせた。その結果、上野介は警固の武士の半数を解雇することになる。

一七〇三年の、恐ろしく寒い冬の夜、四十七人の浪士は、橋と花札の工場に続く、江戸近郊の吹きさらしの庭に集合した。そこから、主君の家紋を染めぬいた幟《のぼり》をおしたてて行進した。襲撃を開始するに先立って、彼らは隣接する諸家に使者を送り、自分らは夜盗でもなければ無頼の徒でもなく、厳正なる正義の名において仇討ちを行なうものである旨挨拶《あいさつ》した。

刀傷

二隊が吉良上野介の邸を攻めた。家老が第一の隊を率いて表門を襲う。第二隊の指揮をとったのは家老の上の息子だったが、彼はこのときようやく十六になるところで、その夜死んだ。生々しい悪夢にも似たその夜の一刻一刻は、歴史のよく知るところである。危険な、揺れる縄梯子《なわばしご》を伝って次々と中庭へ降下する隊士。攻撃の開始を告げる陣太鼓。躍り出る警固の侍たち。屋根の四方に踏ん張る弓の射手。急所目がけて飛んで行く矢。血ぬられた磁器。燃え上り、やがて氷のように冷える死。目を蔽《おお》うばかりの混沌《こんとん》たる殺《さつ》戮《りく》。九人の浪士が命を落した。守るほうも劣らず勇敢で、一歩も退かない。しかしながら、真夜中少し過ぎに、あらゆる抵抗が終った。

こうした忠義の発揚の恥ずべき根源である吉良上野介の姿がどこにも見当らなかった。ごった返す邸内隈《くま》なく探し廻ったが、目に入るのは泣き叫ぶ女子供ばかり。もう見つからないのかと浪士たちが絶望しかけた時、家老は、上野介の床の掛布団にまだぬくもりが残っているのに気づいた。探索が再開され、青銅の鏡の下に隠された小窓が発見された。その下のほの暗い小庭から、白装束の男が彼らを見上げていた。右手には、ふるえる刀を握りしめていた。彼らが降りて行くと、男は素直に降服した。額にはまだ傷痕《きずあと》が残っていた、内匠頭の刃の線刻が。

血にまみれた浪士たちは、憎っくき仇《かたき》の前にひざまずき、彼らが旧赤穂藩主の家臣であること、藩の取りつぶしについては式部官が責めを負うべきことを告げ、武士《サムライ》らしい切腹を迫った。

このような卑怯《ひきょう》な魂の持主に名誉を説いても意味がない。上野介は、名誉など通じぬ男である。夜が白む頃、彼らはやむを得ず彼ののどをかき切った。

証拠

今仇討ちの本懐をとげ（といっても、憤怒も興奮も憐憫《れんびん》もなかったが）、浪士たちは、主君の遺骸《いがい》をおさめる寺に向かう。

手桶《ておけ》にまだ信じがたい吉良上野介の首級を入れて運びながら、代るがわる香をして行く。町を出はずれて田舎にさしかかる頃には日も高くなる。沿道には人が集まり、口々に祝いを述べ涙を流す。仙台公が彼らを食事に招いたが、彼らは、主君がもう二年近くも待ちわびておられるからと断わる。小暗い墓所に着くと、彼らは仇の首を墓の前に捧《ささ》げる。

武家評定所の判決が下る。それは浪士たちの期待したとおりで、切腹の特権を許されたのである。一同は切腹する、何人かは燃えるような晴朗さの中に。そして彼らは主君のかたわらに葬られる。老若男女がこの忠義の人びとの墓に詣《もう》でた。

薩摩侍

義士詣での人びとの中に、見るからに長旅の埃《ほこり》にまみれ、疲れ切った一人の若い武士がいる。彼は忠臣大石内蔵助の墓石の前にひざまずくと、声高にこう言う。「それがしは先年、京の遊廓の店先で酔いつぶれておられるお手前をお見かけしたが、主君の恨みを晴らさんと計りごとを廻《めぐ》らしておらるるとはつゆ知らず、不忠の臣よと存じ、お手前の顔に唾を吐き申した。その償いせんとかくは推参つかまつった」。言いざま、彼は腹をかき切った。

寺の長老は憐《あわ》れと思い、彼を義士のかたわらに埋葬してやった。

これが忠臣四十七士の物語の結末である——とはいえこれには真の終りはない。なぜなら、自らは恐らく忠義ではないが、今後もその望みをまったく捨て去るわけでもないわれわれ凡夫が、言葉で彼らを讃え継ぎ続けるであろうからだ。

仮面の染物師　メルヴのハキム

——アンヘリカ・オカンポに

わたしのまちがいでなければ、ホラサーンの覆面の（字義どおりには仮面の）予言者モカンナに関する主要な情報源は四つにしぼられる。（a）バラドゥーリの抜粋による『カリフの歴史』からの数節。（b）アッバース朝の御用歴史家イブン・アビ・タイル・タルフルの書いた『巨人の便覧』、別名『精密と修正の書』。（c）『薔薇《ばら》の滅亡』と題するアラビヤ語の古文書。その中には、この予言者の聖書であった『黒薔薇』、別名『隠れ薔薇』の忌むべき邪説の論破が見られる。（d）トランス・カスピアン鉄道の掘削工事中にアンドルーソフ技師が発掘した、ほとんど字の読みとれない硬貨数枚。これらの硬貨は、今テヘランの古銭陳列館に保管されているが、『滅亡』の重要な一節を要約もしくは修正したペルシア語の二行詩を残している。『薔薇』の原本は散佚《さんいつ》してしまった。一八九九年に発見され、「モルゲンレンディッシェス・アルヒーフ」が慌てて公表した写本は、まずホーンによって、次いでサー・パーシー・サイクスによって、偽物と断定されたのである。

　この予言者が西洋で有名になったのは、トマス・ムアの詩のおかげで、これはアイルランドの愛国者流の感傷癖に彩られて冗漫な作品である。

深紅の染料

ヘジラ（移住の意で、聖遷と訳されることが多い）紀元の一二〇年（西暦七三六年）頃《ごろ》、当時の当地の人びとが、後に「覆面の予言者」と呼んだ男ハキムが、トルキスタンに誕生した。彼の故郷はメルヴの古い町で、その庭園や葡萄《ぶどう》畑や牧場は荒涼たる砂漠を一望の下に見下ろしている。住民の咽喉《のど》をつまらせたり、黒い葡萄の房を灰色の皮膜で覆ったりする砂塵《さじん》の雲のために曇らぬ限り、その地の真昼どきは、めくるめくばかり白く輝く。

　ハキムはその退屈な町で成長した。伯父が彼を染色業の徒弟修業に出したことが知られている。それは不信心者、山師、裏切り者どもの商売で、そうした連中がやがて彼に、放埒《ほうらつ》な歴史の最初の破廉恥行為を吹き込むことになる。『薔薇の滅亡』の有名なページに、彼の言葉が引用されている。

わたしの顔は今金色である。しかしかつては、深紅の染料を水にとき、二晩目には未梳毛《みそもう》を浸し、三晩目には梳毛を染めた。諸国の皇帝らは、今もこの緋《ひ》の衣を競って求める。かくして若き日のわたしは、神の被造物の本来の色を勝手に変えるという罪を犯したのだ。羊は虎《とら》の色ではない、と天使が言えば、いや全能の神はそれを望んでおられるし、現にお前の技術と染料を利用しているのだと悪魔が言ったものだ。今わたしは、天使も悪魔も真実を誤っており、あらゆる色は忌むべきものだと知っている。

ヘジラ紀元一四六年、ハキムの姿はすでにその地から消えている。彼の使っていた大《おお》釜《がま》や染物樽《だる》が、シラーズの新月刀や青銅の鏡と共に、壊されているのが見つかった。

牡《お》牛《うし》

一五八年のシャバンの月の終り、砂漠の空気は澄みきっていた。一団の男たちが、ラマダーンの月を探して西空を眺めていた。その月は禁欲と断食の時期のしるしである。彼らは奴隷、乞食《こじき》、馬喰《ばくろう》、らくだ泥棒などであった。メルヴへの道中の隊商の休憩所の門のところで、地上に厳粛な面持ちで坐りこみながら、彼らはそのしるしを待ち受けていたのだ。彼らは夕日を眺めた。夕日の色は砂の色である。

ゆらめく砂漠（その太陽は熱病をひきおこし、その月は風土病の因となる）の奥から、三つの影が近づいて来る。ひどく高く見える。影は男たちで、真中の一人は牡牛の頭をしている。彼らが近づいた時、この男が仮面をつけており、連れは盲目であることが分る。

ひとりが（『千夜一夜物語』の訊《き》き手のように）この不思議の意味を訊《たず》ねる。「あれらは盲《めし》いた、わたしの顔を見たからだ」と仮面の男は答えた。

豹《ひょう》

アッバース朝の御用年代記作者が記すところによると、砂漠から来たその男（彼の声は異様なほど美しかった、あるいは獰猛《どうもう》な仮面との対照からそう思えたのかもしれない）は、隊商の男たちにこう言ったという。お前たちは悔悛《かいしゅん》の月のしるしを待っているのだろうが、わたしはもっと大きなしるし――悔悛の生涯と殉教の死――を説く予言者だと。またこうも言った。わたしはオスマンの息子ハキムである、「聖遷」紀元一四六年、ひとりの男がわたしの家にはいって来て、浄めと祈りをした後、新月刀でわたしの首を刎《は》ね、それを天上へ持って行った。男（それは天使ガブリエルだった）の右手につかまれて、わたしの首は主の前におかれた。主は、その首に予言の使命を授けられ、口にしただけでも俗人の唇が焼けただれるような古い言葉を教えられ、人間の眼には正視しえぬ光を与えられた。これが仮面の理由である。すべて地上の人間が新しい法を信ずる時、わたしの顔はお前たちの前にあらわになり、お前たちは晴れてそれを崇《あが》めることができるようになろう——天使たちがすでに崇めているように。彼の使命を宣言すると、ハキムは、聖戦——異教徒征伐《ジハド》——と来るべき殉教に参加せよと彼らに勧めた。

奴隷、乞食、馬喰、らくだ泥棒どもは彼の呼びかけを斥《しりぞ》けた。一つの声が「魔法使いめ！」と叫ぶと、別の声が「山師だ！」と叫んだ。

中のひとりが豹《ひょう》を連れていた——恐らく、ペルシアの猟人たちが調教したあのつややかで血に飢えた品種の見本だったろう。その豹が綱を切ってしまった。仮面の予言者と二人の侍僧を除いて、他の者はあわてふためいて互いに踏みつけながら逃げ出した。彼らが戻って来た時、予言者は獣を盲《めしい》にしていた。輝くまま死んだ眼を前にして、男たちはハキムを崇め、その超能力を認めた。

覆面の予言者

アッバース朝の年代記作者は、ホラサーンの覆面のハキムの成り上りぶりを、気乗り薄な調子で記している。その地方は――もっとも有名な首領の失脚と処刑のために大いに動揺していたから――「輝く顔」の教義を絶望的な熱狂で受け入れ、血と黄金とを貢物として捧《ささ》げた（その頃までには、ハキムは獣の面をすてて、宝石の縫いとりをした四重の白絹で顔を包んでいた。当時の朝廷バヌー・アッバースを象徴する色は黒である。ハキムは、覆面、旗、ターバンの色として、正反対の色――白――をえらんだのである）。闘争のすべり出しは上首尾だった。『精密の書』によれば、もちろん、カリフの軍勢はいたる所で勝利を博している。しかし、こうした勝利がきまって司令官の更迭《こうてつ》と難攻不落の城からの撤退に終るのを見れば、明敏な読者には真実の察しがつくはずである。一六一年のレヘブの月の終り、名高いニシャプールの町が「仮面の人」の前にその鉄の門を開いた。一六二年のはじめには、アステラバードの町もこれにならった。ハキムの軍事行動は（より幸運なもう一人の予言者のように）、戦いの真っ最中でも、赤茶色のらくだの背で神に向って声を高める、テノールの祈りに限られていた。周囲には矢が唸《うな》りをあげてとびかっていたが、一度として彼に当ったためしはなかった。彼は求めて危険に身をさらすように見えた。夜になると、忌わしい腫物《できもの》だらけの者たちの群れが彼の館《やかた》をとりまく。彼はそれらの者を招じ入れ、接吻《せっぷん》し、金銀を与えた。

煩雑《はんざつ》な政治むきの仕事は、六、七人の帰依者に委任した。瞑想《めいそう》と平和とにひたすら心を傾ける予言者に対しては、百十四人の盲目の女を擁するハレムが、その聖なる体の要求を満たすために精を出した。

忌わしい鏡

たとえ不謹慎なところや危険な面があっても、その信条が正統信仰と抵触しない限り、神と親交を結ぶ者に対してイスラムは寛容である。予言者自身は、恐らく、この寛容を蔑《さげす》みはしなかっただろう。しかし彼の弟子たちや、数々の勝利や、カリフ——当時はモハメド・アル・マーディ——の公然たる怒りが、ついには彼を異端に追いやることになった。この軋轢《あつれき》が、彼を破滅に導いたとはいえ、個人的な信仰の教義を書き留めさせもしたのである。その中にはしかし、初期キリスト教グノーシス派の教義も、滲透《しんとう》のあと歴然たるものがある。

ハキムの宇宙観の根本原理は妖怪《ようかい》的な神である。この神は、名前も顔もないばかりか、起源も測り知れない。それは不変の神であるが、その形は九つの影を投影する。その影は天地を創造することを応諾《おうだく》し、第一天を構想し統治する。この第一の造物主《デミウルゴス》の冠から第二天が派生した。これはそれ自体天使、能天使、座天使たちを備え、これらが下級の天を建てたが、これは第一天と相称をなす鏡であった。この第二天の天使団が今度は第三天に反映され、それがさらに下級の天に反映される。このようにして九百九十九天に達する。この最下位の天の主がわれわれを統《す》べる者——影の影のそのまた影——であって、彼のもつ分割された神性は零に近い。われわれの住む世界はひとつの誤謬《ごびゅう》、不様なパロディーである。鏡と父性とは、パロディーを増殖し確認するが故に忌むべきである。嫌悪こそ第一の徳である。二つの道(その選択については予言者は自由にまかせている)がわれわれをそこに導くだろう。すなわち禁欲か放縦《ほうしょう》か、過度な肉の行使か純潔か。

ハキムの天国と地獄も、それに劣らず絶望的であった。

わたしの言《ことば》を信じない者、宝飾のベールと顔を信じない者は、(と『隠れ薔薇』の呪《のろ》いは続く)驚くべき地獄を約束される。堕地獄の魂は、おのおの九百九十九の火の帝国を支配するだろう。おのおのの帝国で、九百九十九の火の山を支配し、おのおのの山で九百九十九の火の城を、おのおのの城で、九百九十九の火の部屋を、おのおのの部屋で、九百九十九の火の寝台を支配するだろう。そしておのおのの寝台では、おのれの顔と声をもつ九百九十九の火の人影によって、永遠の責苦を受けるだろう。

同じことが他の個所にも述べられている。

この世では、お前たちは一つの肉体の中で苦しむ。死と因果の世では、無数の肉体の中で苦しむだろう。

天国はこれほどはっきり描かれてはいない。
暗黒は永遠に続き、そこには石の池がある。そしてこの天国の幸福とは、訣別《けつべつ》と諦念《ていねん》の幸福、それから自ら睡《ねむ》っていることを知っている者の幸福である。

顔

「聖遷」紀元の一六三年(「輝面」の五年)、ハキムはサナムでカリフの軍勢に包囲された。糧食にも殉教者にもこと欠かなかったし、光の天使の援軍が今にも到着するはずであった。恐ろしい噂《うわさ》が砦中《とりで》にひろまったのはまさにこの時である。不義を犯したハレムの女が宦官《かんがん》に絞め殺される時、予言者の右手の薬指が欠け、他の指の爪《つめ》も全部なくなっていると叫んだというのだ。この噂は信者たちの間にひろまっていった。真昼、高い露台で、ハキムは勝利か特別のしるしを祈っていた。奴隷のように頭を垂れて——まるで雨の中を走るように――二人の隊長が近づくと見る間に、宝石をちりばめたベールを引き裂いた。

最初、戦慄《せんりつ》が走った。使徒の約束の顔、かつて天にも上った顔は、全く白かった。しかしそれは、斑紋《はんもん》のあるレプラ特有の白さだった。それは信じがたくふくれていたので、仮面のように見えた。もはや眉はなかった。右眼の下瞼《したまぶた》はしなびた頰《ほお》に垂れ下っている。累々《るいるい》たる結節が両唇を食いつくしている。こそげて平らになった鼻は、獅子《しし》の鼻に似ていた。

ハキムの声が最後の欺瞞《ぎまん》を試みる。「許すべからざる罪を犯したお前たちには、もはやわたしの輝く顔を見ることは許されぬぞ……」と言いはじめた。

耳もかさず、二人の隊長は彼を槍《やり》で貫いた。

ばら色の街角の男

エンリーケ・アモリンに

いやあ、よりにもよって、死んだフランシスコ・レアルのことをあっしにおききなさるとはね。ええ、あっしは知ってましたよ、この辺の人間じゃありませんでしたがね。奴《やつ》の縄張りは北部、グヮダルーペ湖から砲兵隊の兵営までの一帯でしたから。あっしが会ったのは三回きりで、それも一晩のうちでしたが、あんな晩は忘れようたって忘れられるものじゃありません。あれはルハネーラがあっしの小屋へやって来て寝た晩だし、ロセンド・フワレスがマルドナード川から永久に消えちまった晩だからね。あなた方にとっちゃ、もちろん、そんな名前は大した意味はないでしょうが、「人切り」のロセンド・フワレスといやあ、ビリャ・サンタ・リタあたりでは評判の男だったんです。彼のナイフさばきは有名で、ドン・ニコラス・パレーデスの配下でした。ちょうど、パレーデスがモレルの配下だったように。いつもめかしこんでは、銀の馬具をつけた黒馬にまたがって女郎屋に乗りつけたもんです。彼に一目おかないような男も犬もいなかったし、女も同様でした。少なくとも二件の殺人は彼に責任があるってことは、誰知らぬ者もない事実でしたからね。てかてかに撫《な》でつけた髪の上に、つばのせまい山高帽をのせてね。まったく、みなが言ったように、運命の女神に可愛《かわい》がられてたんでさあね。おれたちビリャの若い者は、唾《つば》の吐き方まで彼のまねをしたもんです。ところがある晩、おれたちははからずもロセンドの本当の姿を見ることになったんです。

作り話みたいだが、その晩の出来事は、男たちで鈴なりのけばけばしい赤い馬車が、煉瓦窯《れんががま》と空地の間の、つき固めた土の道を、がたぴし揺れながらやって来た時にはじまったんです。黒服の二人の男がギターをかき鳴らしては大声で唄い、御者は馬の脚元を駆けまわる犬どもに鞭《むち》を鳴らし続ける。その真中に、ポンチョをまとった一人の男が静かに坐《すわ》っていた。これがかの有名な「殺し屋」で、ひょっとしたら殺しにもなりかねない喧嘩《けんか》に出向くところだったんです。その晩は涼しくて気持ちがよかった。二人の男がたたんだ幌《ほろ》の上に坐って、まるでカーニバルにくり出すパレード気取りだった。これが、あの晩たて続けに起こった事件の発端だったんですが、あっしらがそれと知ったのはもっと後のことです。こちらの若い者はかなり早くからフリアの店に陣取っていた。彼女のダンスホールは、ガウナへ出る道とマルドナード川の中間にある、トタン板のバラックみたいなものでね。軒先に吊《つ》るした赤いランプと、それに騒々しい音とで、遠くからでも見分けられたもんです。フリアは黒人だったけれど、しっかりした女だったから、楽士や上等の酒や、一晩中でもつき合おうっていう踊り相手にこと欠くようなことはなかった。けれども、ロセンドの女のルハネーラが断然光ってたね。彼女も死んでしまいましたよ、旦那《だんな》、それにあっしが彼女のことを考えなくなってからも久しいが、しかし、あなたも盛りの頃《ころ》の彼女を見ておけばようござんしたよ、あの眼《め》！　一見見たら男はもう眠れなかったたね。

ラム酒、ミロンガ、女、気やすく与太をとばしては、ひとりひとりの背中をどやしつけるロセンド、それは本当の友情の印みたいに思えてね、まったく、この上もなくしあわせな気分だったなあ。あっしはまた、いいパートナーにぶつかって、こっちの気持を見すかすようにステップを合わせてくれるんです。タンゴはあっしらを思いのままに操って、解いたり、離したり、列《なら》べたり、また組み合わせたり。夢心地でまわりの人も忘れていると突然、音楽の音がとても大きくなったような気がした、馬車でひくギターの音がだんだん近づいて来て、こちらの音に混じったからなんです。それから、また風向きが変って聞こえなくなったので、あっしはまた自分の体やパートナーの体、それにタンゴの囁《ささや》きのほうに注意をひき戻されたんです。三十分ばかりたった頃、戸口を居丈高にたたく音と声がした。中は一ぺんに静かになった。すると、肩で戸口に体当りをくらわせたと思うと、男が中に立っていた。それは何というか、声そっくりの男だったんです。

あっしらにとっちゃ、そいつはまだフランシスコ・レアルじゃなかった。ええ、ただの背が高くてがっしりした男で、頭から爪先《つまさき》まで黒ずくめ、肩にかけたスカーフだけが赤茶色だった。顔も覚えているが、どこかインディオ風のところがあって、角ばってましたよ。

ドアがぱっとあいた拍子に、もろにあっしにぶつかったんです。頭に来たから、奴にとびかかって、左手をのばしてストレートを見舞い、右手はチョッキの左脇《わき》の切れ目にすべらせてナイフを抜こうとしました。しかしそれだけの暇はなかった。男が立ち直って、邪魔ものを払いのけるように両腕をひろげただけで、あっしは脇へふっとんじまった。上衣の下で、役立たずの武器を握ったまま、うしろにうずくまってました。彼は何事もなかったように前へ進みます。その場の誰よりも頭一つだけ高く、何一つ眼中にないようすで進みます。最前列の連中——あんぐり口をあけたイタ公たち——は、怯《おび》えて扇形に道をあけます。しかしそれも長くはない。次の列に赤毛のイギリス野郎が待ちかまえていた。そしてよそ者の手が肩にかかる前に、赤毛のナイフの平面がそいつの顔をたたきました。それを合図のように、みながわっととびかかる。そのホールは細長くて、奥行十メートルもあったでしょうか、そのほとんど端から端まで、みなで殴ったり、ののしったり、唾を吐きかけたりしながら、キリストみたいに引っ立てて行きました。最初は拳固《げんこ》で殴りつけたが、男がそれを防ごうともしないのを見てとると、平手でたたいたり、スカーフのふさでからかいはじめた。それは同時に、さっきから奥の壁にもたれて、筋一つ動かさず一言も言わずに立っているロセンドに、いいところをとっておくためでもあったんです。ロセンドはせわしなく煙草《タバコ》をふかしてました。まるで、後になってあっしらにも分ったことをもう知っていたみたいにね。「殺し屋」はまだしっかりしていたが、あちこち血を滴らせて、うしろから罵詈雑言《ばりぞうごん》に押されるように、彼のほうへ寄って行った。やじられ、ぶたれ、唾を吐かれながら、ロセンドと向かい合った時、はじめて男は口を開いた。ロセンドをにらみつけ、袖《そで》で顔を拭《ぬぐ》うと、こんなことを言ったんです。

「おれはフランシスコ・レアルという北部の者だ。本名はフランシスコ・レアルだが『殺し屋』のほうが通りがいい。今そこのチンピラたちに好きなようにさせてやったのは、おれの探してる相手が男だからだ。なんでも噂によるとこの界隈《かいわい》に、ちょっとナイフの使える手ごわい奴がいるそうだ。『人切り』とかいったね。ひとつそいつにお目にかかって、おれみたいなケチな野郎にも、肝のすわった男はどういうふうにやるものか教えてもらいたいと思ってね」

彼はロセンドをにらみつけながらこう言ったもんです。そのとたん、袖《そで》の中にしのばせてあったナイフが右手にキラリと光った。まわりを取り囲んで押していた連中が、今は少しずつ場所をあけ、みながおし黙って二人をじっと見ていました。ヴァイオリンを弾いている盲目の黒人の分厚い唇さえ、こちらを向いてました。

この時、うしろにどやどやと人の気配がしてふり返ると、戸口に、「殺し屋」の身内とおぼしい六、七人の男が見えました。中で一番年かさの、日焼けした顔に半白の口ひげを生やした田舎じみた男が、はいりかけて、多勢の女や明るい光に目がくらんだようで、うやうやしく帽子を取りました。他の者は目をむいて、何か汚いことがあればすぐにもとび出そうとかまえていました。

ところでロセンドはどうしちまったんだろう、こんな大口野郎を蹴《け》り出しもしないで？　相変らずだんまりで、目も上げないんです。煙草をペッと吐きすてたのか、それとも思わず口から落したのか知りませんや。とうとう、何かぼそぼそ言いましたが、あんまり低い声だったんで、ホールの反対側にいた者には何を言ったか聞こえなかった。フランシスコ・レアルはもう一度挑発したが、彼は応じなかった。すると、よそ者の一番若いのがヒューと口笛を吹いた。ルハネーラはその男に憎悪のまなざしを投げて、肩にかかる髪をゆすりながら、人をかき分けて情夫に近づき、彼の胸からナイフを抜き取ると、それを手渡して言いました。

「ロセンド、そろそろこれがいるんじゃないの」

天井に近いところに、川を見下ろす細長い窓があいていました。ロセンドは両手でナイフをつかむと、まるではじめて見るようにじっと眺めていたが、突然、高くふり上げたと思うと、ふり向きざま、それを窓からマルドナード川めがけて投げたんです。あっしは背筋がぞっと寒くなったね。

「胸くそが悪くて切る気もしねえや」と「殺し屋」は言い、手をふり上げて打とうとした。その瞬間、ルハネーラが「殺し屋」の首に腕を廻《まわ》して、例の目でじっとみつめながら、いきり立って叫んだ。

「ほっときなさいよ、こんな奴、てっきり男だと思ってたのに」

フランシスコ・レアルはちょっとの間まごついていたが、やがて自分のものみたいな手つきでルハネーラに腕を廻すと、楽士たちに向かって、タンゴとミロンガをやれと叫び、あっしらに向かってはさあ踊れと言いました。ミロンガがホールの端から端まで火のように突っ走った。レアルはぎごちなく踊ったが、じきに彼女のほうが参っちまったようだった。戸口に近づくと彼は叫んだ。

「さあどいたどいた、皆の衆、彼女はもらってくぜ！」

そう言うと彼らは出て行った、頰と頰を寄せて、タンゴの大波に呑まれ、タンゴにさらわれるように。

あっしは恥ずかしさにかっかしてたんでしょうね。女たちの一人と二、三度回ったんだが、突然放してしまった。暑いからとか、混んでるから、とか言いわけをして、壁伝いに抜け出した。きれいな晩だった。でも誰のために？　狭い通りの角に露店が開いていて、ギターが二つ、まるで人間のように、まっすぐ椅子の背にたてかけてありました。

そんなに無造作にほったらかしてあるのを見ると、まるで、おれたちにはおんぼろギターをかっぱらうことさえできないとなめられているようで、なんとも癪《しやく》だったな。おれたちは吹けばとぶようなつまらない奴なんだ、と思うと腸《はらわた》が煮えくりかえった。あっしは耳にはさんでいたカーネーションを引ったくると水溜《みずたま》りに投げこんで、何もかも忘れたいと思いながらしばらくじっと見てました。もう明日になっていればなあ、今夜が終っていればなあ、と思いながらね。その時、誰かが肘《ひじ》で突いたが、かえってほっとしたくらいでしたよ。それはロセンドでした、そっと、ひとりで、抜け出して来たんです。「いつも邪魔になる奴だ、ばかめ」通り過ぎざまかみつくように言ったのは、鬱憤《うつぷん》をはらしたかったのかどうか。彼は闇《やみ》の奥へ、マルドナード川のほうへ消えました。それが彼を見た最後です。

あっしはそこにたたずんで、見なれた風景を眺めていました——だだっ広い空、すぐ下を黙々と流れる川、眠っている馬、土の小路、煉瓦窯——すると、あっし自身、ブタクサやがらくたの真中に生えているこの岸辺の雑草とえらぶところがないような気がして来ました。こんな掃きだめみたいな所からは、あっしらのような、大口はたたくけれどもいざとなると弱虫で、口先ばかりのおっちょこちょい以外に、何が生れるというんだろう？　それから、いや、そんなことはない、場所柄が悪ければ悪いほど、気《き》っ風《ぷ》が荒くなるはずだと思ったんです。掃きだめだって？　ダンスホールではミロンガがますます高鳴り、微風にのってすいかずらの匂《にお》いが流れて来る。まったくすてきな晩だ、でもそれがどうした？　星が鈴なりで、見ていると目まいがするほどでした。あっしは、さっきのことはみな自分には何の関係もないんだと、強《し》いて思いこもうとしました。しかし、ロセンドの臆病《おくびょう》さ加減と、あのよそ者のあっぱれな度胸とが、どうしても頭を離れない。しかもレアルは、今夜の女を手に入れたんだ、今夜だけじゃなく幾夜も、そして多分ずっと、と思いました。ルハネーラなら、それだけの値打ちはあるんですから。それにしても二人は一体どこへ行っちまったんだろう？　それほど遠くへ行ったはずはない。もうすでに、その辺の溝ででもよろしくやってる最中かもしれない。

戻ってみると、何事もなかったかのようにダンスが続いていた。

できるだけ体をちぢめて人ごみの中にまぎれてみると、うちの者は何人かいなくなっていて、北の連中が他の者と踊りまわっていました。肘つき合いもなければ衝突もなく、なかなかおとなしいもんでした。音楽は気だるく、北の連中とタンゴを踊っている女たちは、あまり口をききませんでした。

あっしは何かを期待してましたが、それが起こったわけじゃありません。

外に女の泣き声が聞こえ、続いて、今では一同お馴染《なじ》みの声、しかし低い、何だかあんまり静かで人の声とも思われないような声がこう言ったんです。

「はいれよ」――またすすり泣き。すると今度は苛立《いらだ》つような声で、

「あけろと言ったらあけろ、この売女《ばいた》！」戸ががたがたと開き、ルハネーラが、ひとりで、はいって来た、言われるままに、まるで誰かに追いたてられるように。

「幽霊が操ってるんだ」と「赤毛」が言う。

「死人よ」と言ったのは「殺し屋」だった。酔っぱらったような顔つきだ。さっきと同じように一同があけた道を、よろよろと二、三歩進む——まったく、なんて大きな男だ——それから突然、丸太のようにどすんと倒れた。彼といっしょに来た仲間のひとりが、仰向けにひっくり返して、肩掛けを頭の下にあてがった。そんな心づかいも、彼を血で汚すだけだった。胸に深い切傷が見える。血はそこからふき出て、それまで肩掛けの下にかくれていた真っ赤なネッカチーフを、どす黒く染めてゆく。応急手当のため、女たちの一人がラム酒と火であぶった布切れを持って来た。男はとても口がきける状態ではなかった。ルハネーラは両腕をだらりと下げたまま、茫然《ぼうぜん》と彼をみつめていました。誰の顔にも同じただ一つの問いが浮かんでいたので、とうとう彼女は口を開きました。彼女の話では、「殺し屋」とホールを出た後、小さな原っぱへ行ったところ、見知らぬ男が現われて、ものに憑《つ》かれたように挑みかかり、ひどい傷を負わせたという。その男は誰だか知らないが、ロセンドではないことは誓ってもいい、というのです。誰がそんな話を信じるだろう？

足元の男は死にかけていました。世話をしている者にも、もう脈はとれないだろうと思えました。それでも、男は頑強にもちこたえていました。彼が倒れこんで来た時、フリアはマテ茶をいれているところでした。その茶碗が一まわりして、彼が息を引き取る直前にあっしの手元に戻って来ました。いよいよという時、彼はかすかな声で「顔をかくしてくれ」と言いました。自尊心だけは最後までなくさなかったんだね、断末魔の苦痛にゆがむ顔を、じろじろと見られるのは我慢できなかったんでしょう。誰かが顔の上に彼の黒い帽子をかぶせました。あの山の高い帽子をね、こうして彼は死にました、帽子の下で、一言もこぼさずに。その胸が上下動を止めるのを見すまして、一同は動き出し、帽子をのけました。死者特有の、あのやつれた表情をしてました。砲兵隊の兵営から南部にかけて、当時一番胆っ玉のすわった一人だった男。それが死んでものを言わなくなったのを見ると、たちまちあっしの憎しみは消えちまいました。

「死ぬためには、生きてるだけでいいんだわね」と女たちの一人が言いました。すると別の一人が、同じく思いに沈みながら言ったもんです。

「あんなに傲慢《ごうまん》な男だったのに、もう蠅《はえ》を集めることしかできないんだわ」

その時、北部の連中が額をあつめてひそひそ話しはじめたが、中の二人が同時に声を上げて言った。

「この女が殺《や》ったんだ」

それからまた一人が面と向かって大声で彼女をなじり、あとの連中がどやどやと彼女を取り囲んだ。気をつけなければいけないことも忘れて、あっしは電光のようにとびこんだ。どうしてナイフに手をかけなかったのか、我ながら不思議です。多くの視線、ほとんど全部の視線が呆気《あっけ》にとられてあっしをみつめているのを感じながら、そらとぼけて言ってやりました。

「この女の手を見ろよ。ナイフで突くような力や心臓があると思うかい？」

それから、ひややかにつけ加えた。

「この仏さんも地元じゃかなり鳴らしたらしいが、こんなにみじめにくたばっちまうなんて、誰も夢にも思わなかったろうよ。しかも、こんな、まるきり死んだみたいな土地でさ。ここときたひにゃ、誰かよそ者がかき回しに来て、結局、自分の顔に唾をかけられることになるまで、何も起こりゃしないんだ」

鞭《むち》でひっぱたかれようという者は誰もいなかった。

この時、静まりかえった夜の中を蹄《ひづめ》の音が近づいて来ました。警察《さつ》だ。多かれ少なかれ、その場の誰もがこの事件に関《かか》わりたくない理由があったんでしょう。衆議一決、死体はマルドナード川へ投げこむのが一番ということになったんだから。ナイフが閃光《せんこう》を放って飛んで行ったあの細長い窓を覚えておいででしょう。そこから今度は黒服の男が投げ出されたんです。多勢で死体をもち上げると、寄ってたかってあるだけの所持金とあるだけのちゃちな装身具を身ぐるみはぎとり、中には指輪を盗むために斧《おの》で指を切り落す者までいました。まったく、ねえ旦那、より強い男が出て来て片づけてしまうと、無防備の哀れな死骸《しがい》に向かって勢いづくなんて、あさましい奴らですよ。「せーの」と臓腑《ぞうふ》ばかりに投げこむと、速い流れがそれをのみこみました。死体が浮かばないように臓腑をかき出したかどうかは知りません。自分はとても見ていられなかったから。半白の口ひげの年寄りが、あっしから目をはなそうとしませんでした。騒ぎに乗じて、ルハネーラはこっそりと出て行きました。

警察が踏みこんだ時には、ダンスはふたたび活気づいていました。盲目のヴァイオリン弾きが、今はもう聞かれなくなってしまったハバネラを弾きまくっていました。外は白みかけていました。丘の上の柵《さく》の杭《くい》が、ぽつんぽつんと淋《さび》しげに立っていました。間の金網は、まだ暗くて見えなかったんです。

ゆったりと、あっしは二、三丁先の小屋に戻って来ました。すると、窓にろうそくの火がともっていたのが、不意に消えた。白状しますが、それを見た時は急ぎましたよ。それから、ボルヘスさん、チョッキの内側——いつもそれをしのばせていた左脇のここのところ——に手を入れて、短く鋭いナイフをもう一度取り出しました。そしてゆっくりと刃を眺めわたしたけれども、それは真新しく、無垢《むく》といってもいいくらいで、これっぽっちの血の痕《あと》もとどめてはいませんでした。

エトセトラ

ネストール・イバラに

死後の神学者

天使たちが語ったところによると、メランヒトンが死んだ時、この世で住んでいたものとそっくりの家を、あの世で与えられたという（これは、永世にはじめてやって来た新参者のほとんどの場合にあてはまることで、そのために、彼らは自分の死に気づかないのである）。部屋の調度も同じだった。テーブル、引出しのついた机、書棚。メランヒトンはその新しい住居で目覚めるや否や、ふたたび著述の筆を取り、数日を費やして、人は信仰によってのみ義とせられる旨を書き記した。いつもながら、慈悲については一言も触れなかった。天使たちはこの手落ちに気づいたので、使いをやってこれを質《ただ》した。メランヒトンは、「魂にとって大事なのは慈悲ではない、信仰さえあれば天国にいれることを、わたしは議論の余地なく証明したのだ」と傲然《ごうぜん》と言い放った。自分がすでに死んでおり、しかも天国の外にいることを夢にも知らなかったのである。天使たちはこの言葉を聞いて去った。

数週間過ぎると、家具が色褪《いろあ》せては消えはじめ、ついには、肘掛《ひじか》け椅子《いす》とテーブルと紙とインク壺《つぼ》を残して見えなくなった。その上、部屋の壁は石灰でおおわれ、床は黄色いワニスをかけられていた。メランヒトン自身の着衣も、今や以前よりずっと粗末なものとなった。それでも、彼は相変らず慈悲を否定して書き続けていたので、ある日突然、地下の仕事場に移された。そこには、彼のような神学者たちが住んでいた。ここで数日幽閉されているうち、自分の主義に疑いを抱きはじめると、前の部屋に戻ることを許された。今彼の着衣はなめしていない毛皮だったが、彼は今まで起ったことはすべて幻覚にすぎないのだと強いて思いこもうとした。そしてふたたび信仰を賞揚し慈悲を誹謗《ひぼう》した。ある宵、彼は寒気を感じた。そこで家中を調べてみると、他の部屋はもはやこの世で住んだ家の部屋とは似ても似つかぬことが分った。その中の一つには、使い道も分らない道具がいっぱいつまっている。他の部屋は小さくちぢんでしまって、はいることもできない。また別の部屋は変っていなかったが、その窓も戸も広漠とした砂丘に面している。奥の部屋には人がぎっしりはいっていて、彼をあがめ、彼ほど賢い神学者はないと口々に叫んでいた。こうした賞讃《しょうさん》は彼を喜ばせたが、この人びとの中に首のない者や死んだように見える者がいたので、ついには彼らを憎み嫌悪するようになった。この時になって、彼は慈悲の讃美を書こうと決心した。しかし、前日書いたページは、翌日には消えているのだった。確信を抱かずに書いたからである。

彼は多勢の死んだばかりの人びとの訪問を受けた。しかし、そんなみすぼらしい住居にいるところを見られるのを恥ずかしいと思った。自分が天国にいるのだと彼らに信じさせようとして、彼は奥の部屋の魔法使いと折り合いをつけ、そいつが、輝かしく清げにみせかけて、人びとをたぶらかしてくれた。訪問客が帰るや否や、時にはまだ帰りきらぬうちに、貧相な漆喰《しっくい》がまた顔を出した。

メランヒトンについて最後に聞いた消息によれば、魔法使いとあの首なし男の一人が彼を砂丘に連れ去り、そこで今彼は、一種の悪魔の召使いになりはてているとのことである。

（エマヌエル・スヴェーデンボリ『天の秘密』（一七四九—五六）より）

彫像の部屋

（アラビヤ起源のこの物語の作者は定かではない。が、内容から見て、スペインの回教徒が書いたものと推定していいだろう）

昔、アンダルシア王国に、レブティットともセウタともハエンとも呼ばれる町があり、代々の王が居をかまえていた。そこには堅固な城塞《じょうさい》が建っていたが、その二枚扉は、入るにも出るにも使われたことがなく、いつも錠が下ろされたままであった。一人の王が死に、次の王がその至高の玉座を継ぐ時は、自ら新しい錠を扉につけ加えるのが慣わしとなっていた。一人の王が一つずつ加えて、それは今、二十四を数えるまでになった。この時たまたま、王家の一員でもない邪悪な男が、王権を簒奪《さんだつ》して、錠を加える代りに、これまでの二十四個を外して城塞の中を見たいと望んだ。大臣や王族たちは、どうかそのようなことは思いとどまって頂きたいと懇願し、鉄の鍵束《かぎたば》をかくし、二十四個の錠をこわすよりは一個の錠を加えるほうが余程たやすいとすすめたが、老獪《ろうかい》な王はいっかなゆずらない。「わしはこの城の中身を調べたいのだ」とくり返すばかりだった。そこで、彼らは集められるだけの財宝——羊の群れとか、キリスト教の偶像とか、金銀などを差し出した。それでも彼は断念せず、自らの右手で（永遠に焼けただれんことを！）扉をこじあけた。中には、いくつもの金属製と木製のアラビヤ人の像があった。駿足《しゅんそく》の駱《らく》駝《だ》や馬にまたがり、ターバンを肩までたらし、腰帯からは新月刀を下げ、右手に長槍《ながやり》をたずさえている。これらはみな彫像で、床に影を引いていた。盲人でも触れさえすれば分っただろう。馬の前脚は、まるで棹立《さおだ》ちになったように地をはなれていたが、倒れないのであった。これらのすばらしい像を見ているうちに、王は大きな恐怖に捕えられた。彼らの規律と完全な沈黙のために、その恐怖はいっそうつのるのである。彼らは揃《そろ》って同じ方向、つまり西、を向いていたのだ。しかも彼らの間からは一つの声も、喇叭《らっぱ》の響きも聞こえないのである。これが城の第一の部屋であった。第二の部屋には、ダビデの子ソロモン——両者ともに救われんことを！——のテーブルがあった。これは一つのエメラルドから彫り上げられていた。その色は、誰も知るように碧《みどり》色で、その秘められた効験は、あらたかではあるが一口に説明しがたい。なぜなら、それは嵐《あらし》を鎮め、持主の貞節を守り、悪疫と悪霊を祓《はら》い、訴訟に好結果をもたらすことを保証し、出産の際には大きな助けとなるのである。

第三の部屋には二冊の本が見出《みいだ》された。一方は黒い本で、諸金属や護符や暦の効用を述べ、また毒薬と解毒剤の調合法をも教えている。他方は白い本で、文字は鮮明であるが、誰にもその教えを解読することはできなかった。第四の部屋には世界地図があって、そこには王国と都市と海と城と難所とが、おのおの真実の名前と正確な形で記されている。

第五の部屋では、円形の鏡に出会った。これはダビデの子ソロモン――両者の上に救いあれ！――の作で、測り知れない価値を有するものである。というのは、それは合金でできており、それをのぞく者は、祖先と子孫の顔を、上は最初のアダムから、下は最後の審判の喇叭を聞くはずの者に至るまで、見ることができるからである。第六の部屋には錬金術の秘薬《エリキシル》がつまっていた。これはほんの一滴でも、三千オンスの銀を三千オンスの純金にかえることができるものである。第七の部屋は空《から》のように見えた。それは余りにも細長いので、いかな弓の名手でも、戸口から奥の壁まで矢を射通すことは不可能だったろう。その一番奥の壁に、恐ろしい銘文が刻まれているのを一同は見た。王がそれを調べ、諒解《りょうかい》した。その銘はこう読まれた。「もし何人《なんぴと》かの手がこの城の扉を開くならば、入口の彫像の戦士に生き写しの生身の戦士によって、その王国は滅ぼされるであろう」

この出来事は、ヘジラの八九年に起こったのである。その年が終らぬうちに、タリク・イブン・ザイードが砦《とりで》を奪取してこの王を敗走させ、その女たちと子供たちを奴隷に売り飛ばし、領土を荒廃するにまかせた。かくして、無花果《いちじく》が実り、旱魃《かんばつ》を知らぬ灌《かん》漑《がい》された牧草地をもつアンダルシア王国に、アラビヤ人が広がっていったのである。財宝に関していえば、ザイードの子タリクが、宗主カリフのもとへ送り、カリフはそれをピラミッドの奥深く蔵《かく》したことが広く知られている。

（『千夜一夜物語』二百七十二夜より）

夢を見た二人の男の物語

アラビヤの史家アル・イシャキが、〈カリフ、アル・マムン〈七八六—八三三〉の御代に〉この出来事を書きとめた。

信ずるに足る人びと（ただし、ひとりアラーのみが全知全能にして慈悲深く、眠りたもうことがないのである）が語ったところによると、昔、カイロに大金持の男がいた。しかし、あまりにも大まかで気前がよかったから、父親の家のほかは何もかも失ってしまい、やがては自ら日々の糧《かて》を得なければならぬ羽目になった。ある夜働き疲れて、庭の無花果《いちじく》の木の下で睡魔に襲われた。すると夢の中に、ずぶぬれの男が現われて、口から金貨を取り出すとこう言った。「お前の運はペルシアのイスファハンにある。かの地へ行って幸運を探せ」。翌朝早く男は目覚めて、長い旅に出発し、砂漠や、船や、海賊や、偶像崇拝の異教徒や、川や、野獣や、人びと、といったさまざまな危難に直面した。

ついにイスファハンに到着したが、その都の門をはいったところで夜になったので、とあるモスクの中庭で眠ろうとして横になった。モスクの隣りに一軒の家がある。全能の神の思召《おぼしめ》しによって、盗賊の一団がモスクを横切って隣りの家に侵入した。その家の人びとはもの音に目ざめて、助けてくれと叫ぶ。隣家の人びとも叫び出したので、ついに地区の夜警の隊長が部下を率いて駆けつけたが、盗賊どもは屋根づたいに逃げてしまった。隊長はモスクの探索を命じた。そしてカイロから来た男をみつけると、散々竹の鞭《むち》でひっぱたいたので、男は息も絶え絶えになった。二日後、彼は監獄で我に返った。隊長は彼を呼びつけて訊問《じんもん》した。「お前は誰《だれ》で、どこから来た?」男は答えた、「わたしはあの名高いカイロの町から来たモハメド・エル・マグレビという者です」。隊長が訊ねる、「何でまたペルシアへ来たのだ?」男は真実を話したほうが身のためだと思って答えた。「ある人が夢に現われて、イスファハンへ行け、そこに幸運が待っていると言ったものですから。でもイスファハンへ来てみたら、あの男の約束した幸運というのは、あなたがふんだんにお見舞い下さった鞭打ちのことだったんです」

この言葉を聞くと、隊長は、智恵歯が見えるほど大笑いしたあげくこう言った。「馬《ば》鹿《か》でおまけにおめでたい奴《やつ》め、このおれさまはカイロの町のある家を三度も夢に見たぞ。その家の奥に庭がある、その庭に日時計がある、その日時計の向こうに無花果の木がある、無花果の木の向こうに泉水がある、その泉水の下に財宝があるんだ。だが、おれさまはそんな嘘《うそ》はこれっぽっちも信じはせん。ところがお前は、驢馬《ろば》と悪魔の申し子め、夢を信じて町から町へはるばる旅して来たとは！　イスファハンに二度と顔を見せるな。この金をやるからとっとと失せろ！」

男はその金をもらって、故郷へと戻った。彼の庭（それこそ例の隊長が夢に見た庭だった）の泉水の下に、財宝を掘り当てた。かくして神は彼に祝福をたれたまい、褒美《ほうび》を与えたまい、賞揚したもうたのである。神こそは神秘にして恵み深いお方なのだ。

（『千夜一夜物語』三百五十一夜より）

お預けをくった魔術師

昔、サンチャゴに、魔術を学びたいと熱望している司祭長がいた。魔術にかけてはトレドのドン・イリャンにまさる者はない、と聞いたので、彼をたずねてトレドへ向かった。

トレドに到着すると、その日のうちにドン・イリャンの家におもむいた。彼は離れで読書の最中であったが、心から司祭長を歓待し、ご用の趣きは、食事の後で承りましょうと言った。そして彼を涼しい部屋に案内して、ご訪問まことに忝《かたじけ》ないと挨拶《あいさつ》した。食事がすむと、司祭長は訪問の理由を明かし、どうか魔術をお教え願いたいと頼んだ。ドン・イリャンは、あなた様が司祭長で、けっこうな地位とけっこうな未来をおもちのお方だとは承知しております。しかし、高位のお方の常として、わたしのことはやがてお忘れになるでしょうから、と答えた。司祭長は、ご恩は決して忘れない、いつでもお役にたちますと誓った。一旦話がきまると、ドン・イリャンは、魔術というものは隔離した場所でなければ学べないからと、手を取って隣りの部屋に導く。そこの床には、大きな鉄の環がついていた。ところでその前に彼は、夕食には鷓鴣《しゃこ》を用意するように、ただし、命じるまでは焼かないように、とメイドに言いつけた。二人してその鉄環を持ち上げ、すっかりすりへった石段をどんどん下って行く。ついには、タホ川の川床も頭上にあるかと思われるほど深く下りた。石段の底に、小部屋と書庫と、魔術の道具を入れた一種の陳列戸棚があった。彼らが本をめくっていると、突然、二人の男が司祭長宛《あ》ての手紙を持って現われた。それは伯父《おじ》の司教からで、司教が重態であること、もし生きているうちに一目会いたければ、一刻も猶予はならないことを知らせるものであった。その手紙は司祭長の心をひどくかき乱した。一つには、伯父の病気を憂慮する余り、もう一つは、勉学を中断せねばならないからである。ようやく留まる決意をして、彼は謝罪の手紙を書いて伯父のもとへ送った。三日たった。すると喪服を着た数人の男がふたたび司祭長宛ての手紙を持って到着した。それには、司教が亡くなり、後継者が選ばれているところで、一同は神の思召しによって司祭長が選ばれることを望んでいるとあった。その手紙はまた、選挙の間本人がいないほうがよいので、今いる所に留まっているようにとすすめていた。

十日過ぎると、二人の着飾った扈従《こじゅう》がやって来て、司祭長の足もとにひれ伏し、手に接吻《せっぷん》して、司教様と呼びかけた。ドン・イリャンはこうしたことを見ると大へん喜び、新しい高僧に向かって、このようなよい知らせが自分の家に届くとは誠に有難いことだと言った。それから、空席となった司祭長職を息子の一人にお譲り頂きたいと頼んだ。司教は、その司祭長職はすでに自分の弟のためにとってあるが、ご子息には教会でなにがしかの職を見つけて進ぜようと思うので、三人揃《そろ》ってサンチャゴへ出発しようと答えた。

三人はサンチャゴに向かった。そしてそこで儀礼をもって迎えられた。六カ月が過ぎた。すると教皇の使者が司教のところへやって来て、彼をトゥールーズの大司教職に任命し、後継者の指名は彼の手に委《ゆだ》ねる旨伝えた。ドン・イリャンはこれを聞くと、大司教に以前の約束をもち出し、空席となった称号を息子にお与え下さいと頼んだ。大司教は、司教職はすでに自分の叔父、すなわち父の弟に予定しているが、ドン・イリャンの便宜をはかるように約束したことであるから、息子ともども、一緒にトゥールーズへ行こうと言った。ドン・イリャンは渋々ながら同意するほかなかった。

三人はトゥールーズに向けて出発し、そこで儀礼とミサで迎えられた。二年過ぎた。すると教皇から大司教のもとへ使者が来て、彼を枢機卿《けい》に任命する、ついては後継者の指名は彼にまかせると伝えた。ドン・イリャンはこれを知ると、枢機卿に昔の約束をもち出して、空席の称号を息子に頂きたいと頼んだ。枢機卿は、実は大司教職はすでに自分の叔父、つまり母の弟に予定してあるが、便宜をはかると約束したことであるからして、ローマへ行こうと言う。ドン・イリャンは渋々同意するほかなかった。三人はそこでローマへ向けて出発した。そしてそこで儀礼と、ミサと、行列をもって迎えられた。四年たった。すると教皇が薨去《こうきょ》し、われらが枢機卿は、他の全枢機卿によって教皇に選ばれた。ドン・イリャンはこれを知ると、聖下の足もとにひれふして、昔の約束をもち出し、空席となる枢機卿の職を息子に頂きたいと頼んだ。教皇は、もうお前の度重なる頼みは聞きあきた、この上しつこく迫るなら、獄に入れるぞ、もともとお前はただの魔術師で、トレドでけしからぬ妖法《ようほう》を教えていたことは重々分っているのだから、とおどした。哀れなドン・イリャンは、今はスペインへ帰ります、ついては旅の間の食物を少しばかり頂きたいと答えるのが関の山だった。教皇はこれも断わった。ここに及んでドン・イリャンは（その顔は奇妙な具合に変っていた）断固とした声音で言った。

「それならば是非もない、今夜命じておいた鷓鴣を食べなくてはなりますまい」

給仕のメイドが現われた。ドン・イリャンは鷓鴣を焼くように命じた。するとたちまち、教皇はトレドの地下の小部屋に戻っており、ただのサンチャゴの司祭長に過ぎない自分に気づいた。余りの忘恩の恥ずかしさに弁解の言葉も見当らなかった。ドン・イリャンは、試験はこれで充分、鷓鴣をさし上げることはお断わりする、と言って、戸口まで見送り、道中の無事を祈って、丁重に追い払った。

（アラビヤの物語『四十の朝と四十の夜』を出典とする、ドン・フアン・マヌエル王子の『パトロニオの書』〈一三三五〉より）

スーダンの最も残虐な支配者が「病弱藩王」ヤクーブであることは、歴史の知るところである。彼は、自分の国をエジプトの不正な収税吏に引き渡した男で、一八四二年バルマハトの月の十四日に、宮殿の一室で死んだ。妖術師《ようじゅつし》アブデルラーマン・アル・マスムーディ（この名は「慈悲深き者の僕《しもべ》」とでも訳すことができよう）が、短剣か毒薬で殺したのだとほのめかす者もあるが——「病弱」という名前からみて——病死がまず妥当な解釈であろう。とはいえ、リチャード・フランシス・バートン大尉は、一八五三年にその妖術師と会話を交え、ここに引用する話を記している。

兄のイブラヒムが、企《たくら》んだ陰謀がもとで、わたしが「病弱藩王」ヤクーブの宮殿に捕われていたのは事実です。兄はコルドファンの黒人首長連の支援を受けていたのですが、これが頼みにならず役立たずで、結局裏切られたわけです。兄は、死刑用の血にまみれた敷皮の上で斬《き》られて果てましたが、わたしは病弱藩王の憎い足もとに身を投げ出して、わたくしは妖術師でございます、もし命をおたすけ下さるならば、幻灯《ファヌシ・ヒヤール》よりも不思議なものをお目にかけますと命乞《ご》いをしました。暴君は、即刻証拠を見せろと命じました。そこで葦《あし》のペン、鋏《はさみ》、大判のベネチヤ紙、角《つの》製のインク入れ、香炉、コエンドロの種子（コリアンダー・シード、薬味に使うセリ科の植物）、一オンスの安息香、これだけのものを用意してもらいました。わたしはその紙を六片に裂き、はじめの五枚には呪文《じゆもん》を書き、あとの一枚には栄光のコーランから次の言葉を記しました。「われら汝《なんじ》の顔ぎぬを取りたれば、汝の眼光は射透すごとし」。それから、ヤクーブの右の掌《てのひら》に魔法の四角を描き、その掌をくぼませるよう頼み、その中央にインクを丸く流しこみます。わたしは彼に、その円の中に自分の顔がはっきり映っているかと訊《き》くと、彼は映っていると答えました。その眼を放さないようにと念をおして、わたしは安息香とコエンドロを焚《た》き、香炉の中で呪文を燃やしました。次に彼に見たいものの名をあげるように頼みました。しばらく考えてから、彼は砂漠の周辺の牧場に草を食《は》む一番見事な野生馬を見たいと言います。見ていると、インクの鏡に静かな緑の野が現われ、やがて一頭の馬が近づいて来ます。豹《ひよう》のようにしなやかで、額には白い星があります。次に彼が、最初の馬と同じほど立派な馬の群れを見たいと言うと、地平線に土煙があがり、それから一群の馬が現われます。この時、わたしは命が助かったことを知りました。

その日から、暁の光と共に二人の兵士がわたしの独房にやって来て、病弱藩王の居室に引っ立てて行くのでした。そこにはすでに、香と香炉とインクがわたしを待ち受けていました。このようにして、この世のありとある影像を彼は要求し、わたしはそれを見せたのです。今は亡きこの男、今もなおわたしが憎んでいるこの男は、おのが手の中に、死者の見たあらゆるもの、生者の見るあらゆるものを持ったのです。都、風土、大地を分割する王国を。地中の秘宝を。海原を往来する船を。戦争用と音楽用と外科用の器械を。美女たちを。恒星と惑星を。異端者どもがおぞましい画を彩るのに用いる絵具を。秘密と効験を蔵する鉱物と植物を。主の讃美と礼拝を糧《かて》として生きる銀色の天使を。学校の賞品授与式を。ピラミッドの奥深く埋められた鳥と王との偶像を。世界を支える牡牛《おうし》とその下に横たわる魚の引く影を。慈悲深きアラーの神の砂漠を。ガス灯に照らされた街路とか、人間の声を聞く時死ぬ鯨のような筆舌につくしがたいものも彼は見ました。一度なぞは、ヨーロッパと呼ばれる都を見せよとわたしに命じました。わたしは、その大通りを見せてやりましたが、たしかそのおびただしい人の流れ――みなが黒い服を着、多くの者が眼鏡をかけていた――その中です、彼がはじめてあの覆面の男に目をとめたのは。

この人物は、時によってスーダン服を着ていることも、軍服を着ていることもありましたが、いつも顔を布で覆って、その時以来、わたしたちの目にする光景に登場して来たのです。彼は欠かさず現われましたが、誰だかとんと見当もつきません。一方、インクの鏡の影像は、最初のうち、すぐに消えたり動かなかったりしたものが、今はかなり複雑になって来ました。わたしの命令一下たちまち現われ、暴君には非常にはっきり見えたのです。たしかに、わたしたちは二人とも、その度にぐったり疲れました。場景のおぞましさが、疲労のもう一つの原因だったのです。折檻《せっかん》、絞首刑、手足の切断等々──死刑執行人と情知らずの見物人のお楽しみばかりでした。

こうして、バルマハトの月の十四日の夜明けとなりました。インクの池が暴君の掌に注がれ、安息香が香炉にくべられ、護符が焚《た》かれました。二人きりでした。病弱藩王は、法にかなっていてしかも控訴不可能の刑罰を見せよと命じました。というのも、その日彼の心は死を欲していたのです。そこで、太鼓を打ちならす兵士たち、ひろげた仔牛の皮、浮き浮きした見物人、剣を振りまわす死刑執行人を見せてやりました。その役人を見るとヤクーブは驚いて言いました。「あれはアブ・キールではないか、お前の兄イブラヒムを死刑にした奴《やつ》、そして、わしが今にお前の手をかりずとも、こういう影像をよび出せる術を会得したあかつきには、お前の運命を終らせるはずの奴だ」。彼はその受刑者をもっとよく見せてくれと頼みました。その男を近く見た時、彼は顔色を変えました。それは、あの誰とも知れぬ白布で覆面をした男だったからです。死刑執行の前にその覆面を取れとわたしは命じられました。わたしは彼の足もとにひれ伏して嘆願しました。「ああ、時の王にして世紀の精髄であられるお方、この人物は他の誰にも似ておりませぬ。と申すのも、彼の名前とその父祖の名前も、出身地も、皆目分らないのでございます。わたくしはそのお方にはとてもかかわるわけにはまいりませぬ。罪を着せられることになるのが恐ろしいからでございます」。病弱藩王は呵々《かか》と笑いました。それから、もし罪があるものならば、その罪はおれが引き受けようと誓いました。剣とコーランにかけて誓いました。そこでわたしは、受刑者の着物をはぎ、仔牛の皮の上に引きすえ、覆面を取れと命じました。そのとおりになりました。ヤクーブの引きつった眼は、ついにその顔を見たのです——まぎれもないおのれの顔を。彼は恐怖と狂気に襲われました。わたしは彼のふるえる手をわたしのしっかりした手に握り、おのれの死の儀式を最後まで見届けろと命じました。あまりにも鏡にとりつかれた彼は、眼をそらすこともインクをこぼすこともあえてしなかったのです。影像の中で刃がその罪人の頭に落ちた時、ヤクーブは呻《うめ》きをあげましたが、わたしの心は何の憐《あわ》れみも感じませんでした。そして彼は床にくずおれて、死にました。

神に栄光あれ、神は永遠に死することなく、限りなき赦《ゆる》しと終りなき罰との鍵《かぎ》を、ふたつながら御手に持ちたまう。

（リチャード・F・バートン著『赤道アフリカの湖水地帯』より）

マホメットの代役

回教徒の頭の中では、マホメットの姿が信仰と密接に結びついているから、天においても、マホメットの役をする霊に彼らを治めさせよと主が命じられた。この代役はいつも同一人物とは限らない。ザクセン生れだが、生前アルジェリアで捕えられて回教徒に改宗した男が、一時この地位を占めていたことがある。かつてはキリスト教徒であったので、彼はイエスの話をし、イエスはヨゼフの息子ではなく神の子なのだと言った。それで、この男はその役からおろすほうがよいということになった。このマホメットの代役の居る場所は、松明《たいまつ》によって示されたのだが、それは回教徒にしか見えないのである。

コーランを作成した本当のマホメットは、もはや信者たちの目には見えない。最初は彼が信者たちを統治したが、神のように支配することをねらったので、南へ追放されてしまったという。かつてある回教徒の一団が、悪魔にそそのかされて、マホメットを神と認めるという事件がおきた。擾乱《じょうらん》を鎮めるために、マホメットが地獄から呼び出されて、彼らに見せられた。この時わたしも彼を見た。彼は、肉体を備えてはいるが内的な知覚をもたない霊魂に似ており、顔色はひどく黒かった。彼がこう言うのが聞こえた。「わたしがお前たちのマホメットだ」。そしてたちまちふたたび地獄へおちた。

（エマヌエル・スヴェーデンボリ『真のキリスト教』（一七七一）より）

寛大な敵

一一〇二年、マグヌス・バーフォズ（素足のマグヌス王）はアイルランド全土の征服を企てた。彼の死の前夜、彼はダブリン王ミュアヘルタハから、この挨拶《あいさつ》を受け取ったと伝えられる。

マグヌス・バーフォズよ、黄金と嵐《あらし》とがお前の軍勢に味方するように。
明日、わが王国の野に戦うお前に幸運がほほえむように。
お前の高貴な手が、恐ろしい剣の織物を縦横に織るように。
お前の剣に刃向かう者が、赤い白鳥の餌食《えじき》となるように。
明日の戦場で、お前がかつてない武勲に輝くように。
お前の数々の神が、お前を栄光に飽かせ、血に飽かせるように。

アイルランドを蹂躙《じゅうりん》する王よ、暁にお前が勝つように。

お前の長い生涯のどの日にもまして、明日という日が輝くように。

それというのも、マグヌス王よ、誓って言うが、明日がお前の最後の日となるからだ。

それというのも、マグヌス・バーフォズよ、明日の光の消え去る前に、わたしがお前を打ち破り、お前を消し去るからだ。


（H・ゲリング『ヘイムスクリングラ補遺』（一八九三）より）

学問の厳密さについて

……その帝国では、地図作製の技術が極度の完成に達していたので、一州だけの地図が一市全体の大きさを占め、帝国の地図が一州全体をおおった。時と共に、この法外な地図ですら満足のゆくものではなくなったから、地図学院は帝国の地図を新たに作り上げた。これは帝国と同じ寸法で、一点一点、実物に照応するものであった。時代が下るにつれて、人びとは地図学研究に対する興味を失い、このだだっ広い地図を無用の長物と考えるようになった。そこで人びとは失敬にもそれを打ち捨て、無情な日や雨にさらした。西部の砂漠に、今は野獣や乞食《こじき》の仮住居と化しているこの地図の断片がまだ見かけられる。地理学の学統の遺物は、今全国にこれ以外には残っていないのである。

（スアレス・ミランダ『賢者の旅』第四巻四十五章、レプリダ、一六五八）

資料一覧

恐怖の救済者　ラザラス・モレル

Life on the Mississippi, by Mark Twain. New York, 1883.

Mark Twain's America, by Bernard DeVoto. Boston, 1932.

真《まこと》とは思えぬ山師　トム・カストロ

The Encyclopaedia Britannica (Eleventh Edition). Cambridge, 1911.

鄭《てい》夫人　女海賊

The History of Piracy, by Philip Gosse. London, 1932.

不正調達者　モンク・イーストマン

The Gangs of New York, by Herbert Asbury. New York, 1928.

動機なしの殺人者　ビル・ハリガン

A Century of Gunmen, by Frederick Watson. London, 1931.

The Saga of Billy the Kid, by Walter Noble Burns. New York, 1925.

不作法な式部官　吉良《きら》上野介《こうずけのすけ》

Tales of Old Japan, by A. B. Mitford. London, 1912.

仮面の染物師　メルヴのハキム

A History of Persia, by Sir Percy Sykes. London, 1915.

Die Vernichtung der Rose. Nach dem arabischen Urtext übertragen von Alexander Schulz. Leipzig, 1927.

本書は一九九五年十一月に、集英社文庫〈ラテンアメリカの文学〉として刊行された作品の、改訂新版です。

解説

ホルヘ・ルイス・ボルヘス讃
——盲目について——

辻原　登

1

ボルヘスが一九七七年、七十八歳の時に、ブエノスアイレスのコリセオ劇場で行なった連続講演が『七つの夜』というタイトルで本になっている。第一夜は「神曲」、第二夜が「悪夢」、以下、「千一夜物語」、「仏教」、「詩について」、「カバラ」とつづいて、第七夜が「盲目について」（以下の引用を含め、野谷文昭訳『七つの夜』みすず書房より）。

第七夜で、彼は自らの盲目について話しはじめる。それによると、彼の場合、片方は全盲、片方は部分的な盲目で緑と青はまだ識別できる。いわば常に緑がかっているか青味がかっているほのかに明るい霧の世界に閉じこめられていることになる。

Looking on darkness which the blind do see（盲人が見ている暗闇をみつめて）というシェイクスピアの詩を引用して、ボルヘスは、darkness が黒や暗さを意味するなら、シェイクスピアはまちがっている、という。盲人の世界は人々が想像するような夜ではなく、霧のたちこめる世界で、この霧の中で眠らなければならないほどの苦痛はない、できるなら闇にもたれかかって、闇に支えられて眠りたい、と。

盲人（少なくともボルヘス）がないのを寂しく思うのは黒である。盲人から黒色、黒が奪われているという打ち明けに、私の胸はかすかに震える。

さらにもう一つの色、赤も奪われている。

あの偉大な色（……）詩の中でさんぜんと輝き、多くの言語において美しさきわまりない名称を持つあの色が。（……）

赤と黒。スタンダールが二つの色にどのような隠喩・象徴を持たせようとしたのか、論議はさておいて、この表題の小説が、徹底的に明視者、晴眼者の小説であることが、妙なぐあいに納得できるのである。

ボルヘスは突如として視力を失ったのではなく、ゆるやかに、一日が暮れてゆくように、黄昏の世界へ移行してゆき、決定的に視力を失ったのは五十六歳のとき、一九五五年だった。彼がそれをなぜはっきり覚えているかというと、この年に国立図書館長に任命されたからだ。九十万冊の書物の支配者に、彼はなった。

私は天国を図書館のようなものではないかと想像していました。庭園と考える人もいますし、宮殿と考える人もいるかもしれません。その天国に私はいたのです。(……)ところが私には本の扉や背表紙さえもほとんど判読できないことが分かったのです。

彼はふしぎな符号を発見する。彼の前任者に二人の盲人館長がいたことである。ホセ・マルモル、ポール・グルーサック。

私にとって盲目はまったくの不幸を意味してきたわけではありません。盲目を哀れみの目で見てはならない。それはひとつの生き方として見られるべきです。盲目とは人の生活様式のひとつなのです。

ボルヘスは文学史上の盲目の詩人たちを丁重に、かつ愛情のこもった調子で紹介してゆく。

ホメーロス、ミルトン、ジェイムズ・ジョイス……。

集中のためには五官のうちのひとつを削ること。ボワロー、スウィフト、カント、ラスキン、ジョージ・ムーアの性的不能。アブデラのデモクリトスは外的現実に気を散らされないように、庭で自分の目玉をくりぬき、オリゲネスは自ら去勢した。司馬遷は、十一万余の匈奴《きようど》の大騎兵軍団に歩兵五千で奮戦し、敗れて捕虜となった李陵を弁護したため、武帝の怒りを買って宮刑に処せられた。だが、この不運が『史記』を完成させた。日本の最初の書物であり、神話・歴史の書『古事記』は盲目の若者稗田阿礼《ひえだのあれ》によって記憶、読誦《どくしよう》され、太安万呂《おおのやすまろ》ら書記官によって漢語で書き取られた。

ソクラテスは、誰が盲人以上に己を知ることができるだろう、といった。オイディプスは己の素姓を知ってわれとわが目を突いて盲目となったが、彼のほんとうの自己探索の旅はこのあとなのである。

視力の消失は聴覚を研ぎ澄ませ、記憶力はどんどん増してゆく。唱導文学の担い手であった熊野比丘尼《びくに》は幼少のときに目をつぶされている。琵琶法師は盲目である。私の小説の主人公のひとり、盲目の噺家《はなしか》遊動亭円木は、古今東西、三千余の噺を覚えきって、落語の図書館になろうと発心する。

ボルヘスは「第七夜」を次の言葉で締めくくる。

盲目とは、運命もしくは偶然から私たちが授かる、とても不思議な道具の数々のひとつであるにちがいありません。

2

江戸末期から明治中期を生きた特異な芸人がいた。葛原勾当《くずはらこうとう》。備後《びんご》の人である。三歳のとき、天然痘を病んで完全失明する。糸竹の道に進み、「京都以西に並ぶ者なし」と称せられた生田流の箏曲《そうきょく》家、作曲家。

彼が特異なのは、物心つく以前に視力をなくしたあとは、音の世界だけを頼りに生きてきたわけだが、文字というものに関心を示し、自分が発明し、制作した木製活字で、十六歳から七十一歳の最期の年まで五十六年間、日記を書き、というより印刻し、二百首余りの歌を残したという点にある。

彼の日記が初めて公刊されたのは大正四年（一九一五）。昭和五十五年（一九八〇）に新編完全版が出た。

太宰治は大正版をもとに短篇「盲人独笑」（昭和十五年）を書いた。

私が、葛原勾当の存在を知って、大いに興味を唆《そそ》られたのは、長い年月、ボルヘスの作品を読みつづけてきたせいといえるかもしれない。

樋口覚に葛原勾当についての秀れた論考（「闇のなかの黒い日記――太宰治の『盲人独笑』と『葛原勾当日記』」、『雑音考』人文書院所収）がある。樋口氏の論によりかかりながら進めることにする。

三歳のときの完全失明だから、「いろは」も知らない、というより、文字とは何か、書くとはどういうことか、を知る機会のないまま、耳、音だけを頼りに言葉の世界へ入って行ったのである。

闇の中で、声で聞いた言葉から手指の触覚だけを頼りに文字を捜す。だが、文字は、視覚と聴覚が合わさって成立している記号体系の世界ではないか。

彼は、文字と、それに対応する意味との関係を視覚なしにどうやって知ることができたのだろうか。

音と意味、文字と意味との関係そのものには本来何の根拠もない。それを支えているのは共同体の共同幻想であるのだから、葛原勾当はまさにボルヘスのいう霧の中に閉じこめられて、孤独の中で、文字通り手さぐりで文字と意味との関係をさぐり当てた。ゆき、あるいは雪という記号と、冬の空から舞い落ちてくる白い冷たい物＝意味とは、くり返すが、本来何の根拠もない関係だ。共同の約束ごとにすぎない。それを暗闇の中で、たったひとりでつないでゆかなければならないのだから、気を許すと、小鳥が手から飛び去ってゆくように、つねに無に帰する危険性につきまとわれている。

だが、葛原勾当はついに書くシステムを会得し、日記をつけ、歌をよみはじめた。彼は、平仮名いろは四十八文字、数字一から十まで、日、月、同、御、候などの常用漢字、変体仮名、濁点、句読点など三十個、合わせて百個の木製活字を縦八寸五分、横四寸七分、深さ一寸三分の箱に順序正しく納めて常時携行して、活字を拾い、一字一字押し印しながら死に至るまで書きつづけた。脳中の聴覚映像と活字の指触覚を照合、一致させながら。

しかも、彼は盲目であるから、当然読み返すこと、つまり校正ができない、従って文字通りの誤植もない。

文字とは、まず見えるもの、そして聞こえるものであり、続いて意味が来る。葛原勾当にとって、文字とはまず触れるもの、としてあった。

表現についてはそうだ。だが、その前に大きな困難があったはずだ。文字を創出することだ。あ、という音が、あ、という形であることを最初に誰が教えたのか？

天保十三年にこんな歌がある。

松が枝に積るみ雪はそのままに
　崩れて千代の友となるなん

池水にうつるを見れば久方の
　月の色にも冬は知られつ

雪も月も、三歳までの朧《おぼろ》げな記憶像に、「ゆき」という二文字の触覚と、雪の匂い、柔らかさ、冷たさが結びついて、書き出され、歌われたのだろうか。自家薬籠中のものとなった江戸音曲「雪」、あるいは「黒髪」の世界から語句の情感が引き出されたのでもあるだろう。

花も雪もはらへば清き袂かな
心も遠き夜半の鐘

（……）

「雪」

黒髪の結ぼほれたる思ひには

（……）

ゆうべの夢のけさ覚めて　床しなつかしやるせなや　積もると知らで積もる白雪

「黒髪」

彼は、晴眼者のわれわれ以上に「雪」を知る。

あさねして、またひるねして、よひ（宵）ねして、たまたま起きて、ゐねむりをする。とやら。きのをから、ねるほどに、ねるほどに、ゆめばかり見るわい。

「闇を讃えて」というボルヘスの詩（斎藤幸男訳『闇を讃えて』水声社所収より）。

（………）
日日と夜夜、
まどろみと夢、
（………）
共感された愛と言葉、
エマソンと雪と、そして多くの物事（……）

夢、——神のように見、はかないひとりのように見る。めざめて辿ろうとするとき、夢は線的にならざるをえないし、畢竟《ひっきょう》、彷徨《ほうこう》し、迷い、迷路となる。われわれは盲人のように両手をさしのべて歩く。

3

われわれはつねにひとつの夢からもうひとつの夢へとめざめる。

『荘子』の中、「斉物論」の最後に引かれている有名な「夢に胡蝶となる」。

——うたた寝をしていた荘周は、夢の中で胡蝶になった。自分が人間の荘周であることを忘れるくらいくっきりと鮮やかな胡蝶に。ふっとめざめたとき、夢があまりに鮮やかだったため、自分はいったい何だろう、荘周であるわたしが夢の中で蝶になっただけなのか、それとも蝶であるわたしが、いま、夢の中で荘周になっているだけなのか、と考えこまずにはいられなかった。

この夢と現《うつつ》との反転可能性を語る『荘子』の懐疑について、山城むつみに蝶のように鮮やかな考察がある（「コギトについて」『批評空間』第Ⅱ期第1号、一九九四）。その考察の助けを借りながら進むことにしたいが、一体どこに辿り着くのやら、すでに私はボルヘスが仕掛けた迷宮の囚人になってしまっているような気がする。

……『荘子』の夢と現実の反転可能性についての懐疑は簡単に解ける、と山城は明言する。

——蝶であったときには、荘周は自分が本当は人間荘周であって、ただ蝶になった夢を見ているだけではないか、と疑うことはできなかった、ということを忘れている。自

　分が、本当は蝶であって、荘周になった夢を見ているだけではないか、と疑えるのは、彼が荘周であるときに限るのである。

　いいかえれば、じぶんに起こっていることを疑いえないということが夢を構成するのであり、それを疑いうるということが現実を構成するのである。

　疑いうる、ということが現実を構成する。

「我考える、故に我あり」

　私が考える、ということが、私を構成する。

　だが、現実＝私は、たったひとりで成立しない。誰か他者が、それに同意してはじめて成立する。他者、これを共同体、と呼んでもいいだろう。

　同意を取りつけることの困難な状況を考える。最も素朴で、初級の現実は、目にみえるもので構成される。名付けの行為もこの現実の中で先ず開始される。文字と意味のつながりもまずこの段階だ。

　盲目の世界は、何が現実で何がそうでないか、という問いがつねに切実に発せられる

確定しがたい世界といえないだろうか？　あるいは、そのような懐疑が、緑がかっているか青味がかっている霧の中で溶けだしてしまっている世界……。

　荘周がもし盲目だったなら……。

　つまりこういうことだ。ボルヘスも葛原勾当も、自分が蝶であるかボルヘスであるか、という問いが通用しないような世界で、自分が何者かであることを絶えず、是が非でも明らかにしようとする行為をつづけてきた。

　これが書くこと、語ることだった。

いま、ボルヘスにならって目を閉じる。この目を閉じるということが大事なのだ。目を閉じて、夢で（ということは思考で）、ボルヘスの作品群、例えば「円環の廃墟」の夢見、夢見られている彼、「会議」のアレハンドロ・フェリ、はじめもなければ終りもない「砂の本」、そして砂の本を売りに来た男、さらにそれを買って、国立図書館の九十万冊の本の中に隠すわたし、を見て（読んで）いるに過ぎないとしても、もしここで、ああ、夢をみて（読んで）いる、と思っている、この思っていることまで夢の領域に入れるわけにはゆかない。

　というより――それも夢でもいいけれど、やっぱり、……と思っている、ということ自体は、夢か現実かの問いの外にある。

　この、外にある、ということが、「私」「荘周」「ボルヘス」「勾当」を構成する。

ボルヘスの作品は、まさにこの領域をめぐって、巧みに編まれてゆく。最も巧緻《こうち》でブキッシュな「『ドン・キホーテ』の著者、ピエール・メナール」、「トレーン、ウクバール、オルビス・テルティウス」、「ジョン・ウィルキンズの分析言語」から不眠の物語「記憶の人、フネス」、目に一丁字もないガウチョが湿地帯での殺し合いの中で啓示の書物を読む、私がいちばん愛好する物語「タデオ・イシドロ・クルスの生涯（一八二九―一八七四）」に至るまで。

集英社文庫

砂《すな》の本《ほん》

2011年6月30日 改訂新版第1刷
2024年12月15日 改訂新版第5刷

定価はカバーに表示してあります。

著者 ホルヘ・ルイス・ボルヘス
訳者 篠田一士《しのだはじめ》

編集 株式会社 集英社クリエイティブ
東京都千代田区神田神保町2-23-1 〒101-0051
電話 03-3239-3811

発行者 樋口尚也

発行所 株式会社 集英社
東京都千代田区一ツ橋2-5-10 〒101-8050
電話 【編集部】03-3230-6095
【読者係】03-3230-6080
【販売部】03-3230-6393(書店専用)

印刷 TOPPAN株式会社

製本 TOPPAN株式会社

フォーマットデザイン アリヤマデザインストア　マークデザイン 居山浩二

ISBN978-4-08-760624-9 C0197